Luc Martin

Les Habits de glace

Collection Le Treize noir

La Veuve noire, éditrice inc.
145, rue Poincaré, Longueuil, Québec J4L 1B2
www.veuvenoire.ca

La Veuve noire, éditrice remercie le Conseil des Arts du
Canada et la SODEC pour l'aide accordée à son programme
de publication.
La Veuve noire, éditrice bénéficie également du Programme
de crédit d'impôt pour l'édition de livres – Gestion SODEC
– du gouvernement du Québec.

 Conseil des Arts
du Canada   Canada Council
for the Arts

Dépôt légal: 2007
Bibliothèque nationale du Canada
Bibliothèque nationale du Québec

**Données de catalogage avant publication de Biblio-
thèque et Archives Canada**

Martin, Luc

Les Habits de glace (Collection Le Treize noir)
    ISBN 978-2-923291-10-9

I. Titre. II. Collection.
PS8576.A768H32 2007   C843'.54   C2007-940651-3
PS9576.A768H32 2007

Car, lorsque tu regardes au fond de l'abysse,
l'abysse aussi regarde au fond de toi.

Nietzsche

1

Le recteur n'évoqua la mort du prêtre qu'après m'avoir longuement interrogé sur ma première session de travail. Des relents de tabac à pipe aromatisé flottaient dans la pièce, se mêlant à l'odeur des livres. Le vieux dominicain faisait des entorses au règlement. Les mots semblaient tomber de sa bouche après un instant d'hésitation, comme si chacun avait une importance capitale et qu'il devait être soupesé en conséquence. Les paupières mi-closes derrière ses lunettes d'une autre époque, il me relatait le parcours du père Lacombe. Je n'écoutais qu'à moitié, croyant qu'il ne s'agissait là que d'une de ces interminables digressions dont il avait le secret.

Mon esprit s'échappa par la fenêtre derrière lui, se glissa parmi les flocons qui descendaient lentement dans la cour intérieure. Maude aurait adoré cet endroit, pensais-je, pendant que mon regard s'attardait sur les murs vétustes de ces massifs bâtiments gris. En bas, la fontaine était couverte de neige, pourtant je crus entendre son murmure pares-

seux et voir fleurir tout autour ces fleurs extra-
vagantes que Maude aurait su nommer, elle
qui ne manquait jamais de mots pour décri-
re la beauté.

De l'autre côté du monde, la voix affir-
mait que, si respecté qu'il ait été en tant que
prieur ou père-maître, le père Lacombe était
d'abord un homme du peuple. Que c'était
pour cela qu'il faisait – avait fait – un curé
si respecté. Et un si bon aumônier à la prison. J'acquiesçai silencieusement, cherchant
à discerner si le regard du recteur était posé
sur moi, ou s'il fixait un point derrière mon
épaule. Je savais que sous cette apparente
bonhomie se dissimulait une intelligence mor-
dante, prête à surgir dans les détours les plus
inattendus de la conversation. Mais pour l'instant, il n'y avait que ces anecdotes nostal-
giques à propos d'un frère disparu.

— Un terrible accident, en vérité, dit-il
pensivement après une longue pause.

Il saisit un dossier, le considéra longuement, puis le reposa sur son bureau.

— Il est tombé dans un ravin après avoir
glissé d'un sentier, ajouta-t-il en soupirant,
répondant à mon interrogation muette. Vous
êtes d'ascendance irlandaise, non ?

— Euh… oui, répondis-je, un peu décon-
tenancé par la question.

— Il exerçait son ministère à Killarney.

Je connaissais un peu ce fief irlandais situé non loin de la ville, sur les bords de la rivière Blanche.

— Je ne suis qu'un *green francophone*, comme on dit. Le descendant d'un orphelin de l'Ile-de-Grâce adopté par des fermiers de Sainte-Croix.

— Mais vous parlez anglais, tout de même ?

Cela ressemblait davantage à un ordre qu'à une question. Je fis signe que oui.

— Le père Lacombe était l'un des rares à pouvoir célébrer la messe en anglais. Les paroissiens l'adoraient là-bas.

Je crus un moment qu'il allait me demander d'entrer dans les ordres.

— Nous faisons l'impossible pour le remplacer, mais jusqu'à la fête des Rois, ils devront se contenter de l'anglais livresque du père Lemieux.

Il ricana doucement. Même après six mois, j'avais toujours autant de mal à saisir l'humour particulier des dominicains.

— Des projets particuliers pour la période des Fêtes ? me demanda-t-il.

— Rien de spécial, répondis-je.

Je pensai à une retraite fermée, à un voyage, voire un exil, n'importe quoi pour ne pas avoir à supporter ces invitations pressantes, ces regards chagrinés, ces mots d'encouragement qui tintaient à mes oreilles comme autant de lugubres clochettes. N'importe quoi pour ne pas avoir à réprimer cette colère sourde que je ressentais au contact de mon entourage. Une hospitalisation, tiens, un long coma dont je sortirais sans le moindre souvenir. Après la mort de Maude, j'avais été des mois à patauger dans de sombres marécages à la recherche des morceaux épars de mon âme. Propulsées par une insoutenable douleur, mes pensées s'étaient approchées des frontières de la folie et j'avais entrevu ce que cet état pouvait m'apporter : un refuge où plus rien ne m'atteindrait, où mes souvenirs s'évanouiraient en même temps que ma conscience du monde. J'en étais revenu avec un besoin désespéré de croire en quelque chose et l'intime conviction que c'était devant un gouffre semblable que les hommes avaient inventé Dieu. Et qu'à elle seule la mort justifiait l'existence de toutes les religions.

Le recteur m'observait en souriant.

— Vous aviez fait un travail extraordinaire lors de ce procès, vraiment extraordinaire. C'est là que nous vous avions remarqué.

Je le remerciai. Il faisait allusion au procès d'un enseignant du primaire, où j'avais agi comme témoin expert. L'homme était accusé d'attouchements sur des élèves. J'avais réussi à démontrer que la première plaignante avait inventé l'histoire de toutes pièces et qu'en réalité les abus avaient eu lieu à la maison. Les autres enfants n'avaient fait que réagir aux questions tendancieuses des enquêteurs et à l'atmosphère dramatique dans laquelle ils baignaient, grisés de l'attention d'innombrables adultes. L'affaire avait eu un certain retentissement, remettant en cause à la fois le travail des policiers et celui des médias dans des situations de ce genre.

Puis, flairant l'occasion, les avocats de la défense avaient voulu faire de moi un pantin qu'ils pourraient trimballer dans tous les procès, question de semer le doute dans l'esprit des jurés. Mais comme il y avait davantage de coupables que d'innocents parmi leurs clients, j'avais appris à les éloigner assez rapidement.

Le recteur avait recommencé à triturer ce dossier et je décelai une certaine nervosité dans ses gestes, chose rare chez cet homme placide. Il désigna du menton un tableau sur le mur, le portrait d'un saint en tunique rouge qui tenait une plume dans sa main droite.

— Vous savez, Griffin, notre communauté ne réunit pas des saints mais de pauvres pécheurs ignorants.

Je pensai à tous les érudits qui constituaient la moitié du corps professoral de cette institution. Pécheurs, je n'en savais rien, mais certainement pas ignorants.

— Saint Dominique ? hasardai-je en désignant le tableau.

Le vieil homme sourit avec indulgence.

— Saint Thomas d'Aquin… précisa-t-il.

— La raison au service de la foi.

— Le plus grand d'entre nous. Celui qui a affirmé que de Dieu, nous ne pouvons pas savoir ce qu'Il est, mais seulement ce qu'Il n'est pas…

— Et quelle relation soutient avec Lui tout le reste, ajoutai-je.

— Vos progrès ne cessent de me surprendre, dit-il en reculant sur sa chaise, une lueur amusée dans le regard.

Depuis que j'avais accepté de donner ce cours sur l'éthique et la religion, pour lequel j'étais censé avoir carte blanche, on n'avait cessé de m'abreuver de conseils, de mises en garde, d'aimables objurgations, et surtout de m'ensevelir sous une montagne de lectures destinées à édifier mon esprit éminemment païen.

— D'ailleurs, continua-t-il, j'ai trouvé excellente votre idée de faire travailler vos étudiants sur les règles de saint Augustin comme fondement éthique des communautés religieuses.

Il inspira profondément en levant les yeux au plafond, les mains à plat sur son bureau.

— Hum ! vous savez que, justement, ces mêmes règles font de chacun, en quelque sorte, le gardien de ses frères.

— Dénonciation et correction fraternelle, dis-je.

Il hocha la tête.

— Soljenitsyne a affirmé que la frontière qui sépare le bien et le mal traverse le cœur de chaque être humain, tout en nous demandant qui serait prêt à détruire son propre cœur…

— C'est à propos de ce prêtre, n'est-ce pas ? lui demandai-je.

Il poussa l'enveloppe vers moi.

— Nous avons trouvé ceci dans son courrier.

L'enveloppe contenait deux feuilles où s'alignaient des photographies couleur, des photographies montrant des enfants et des hommes dans des positions n'ayant rien de ludique, du moins pour les enfants. Je levai les yeux vers le recteur, mais il avait détourné le regard.

Des hommes sans visage. De jeunes enfants en qui on semait un germe terrible, un germe qui prendrait peut-être des années à croître, mais qui ferait de tous des survivants. Certains s'en tireraient peut-être sans dommages autres que cette blessure profonde, mais plusieurs s'échoueraient sans doute sur quelque rivage désolé : drogue, prostitution, violence, troubles sexuels. Quelques-uns deviendraient des bourreaux.

Combien parmi ces hommes anonymes étaient justement des victimes transformées en bourreaux ? Je revis le visage d'un jeune client que j'avais suivi en début de carrière. Un étudiant studieux, poli, qui consultait pour un prétendu manque de confiance en soi, mais qui avait fini par m'implorer de l'aider à ne pas passer à l'acte. Irrésistiblement attiré par les jeunes garçons, il venait de se trouver un emploi de moniteur dans un camp d'été. Un oncle avait abusé de lui pendant des années. Il luttait depuis son adolescence contre ses pulsions malsaines, mais voilà qu'elles devenaient envahissantes, obsédantes. Réprimant difficilement ma colère, j'avais réussi à le convaincre de s'éloigner de ce genre de milieu, puis il avait fini par cesser de venir. Et moi, j'avais commencé à comprendre que je n'étais qu'un bien piètre psychologue, peu doué en tout cas pour la relation d'aide.

Je remis les photos dans l'enveloppe, me demandant si cet ancien client faisait partie de ces hommes. Le recteur me regardait, une expression douloureuse sur les traits. Il avait enlevé ses lunettes. Je ne l'avais jamais vu sans ses lunettes. Il paraissait soudainement vulnérable.

— Le père avait-il accès à un ordinateur ? demandai-je avec une certaine brusquerie.

— Il y en a bien un au presbytère, mais pour autant que je sache, il ne savait pas s'en servir, répondit-il en remettant ses lunettes.

— Une imprimante ?

— Euh… je crois bien, sans doute…

— Ces photos ont été reproduites à partir d'une imprimante d'excellente qualité.

— N'oublions pas qu'elles étaient dans son courrier, dit-il lentement, les mains levées comme un avocat de la défense.

— Ces gens-là procèdent par échange et…

— Écoutez, non ! me coupa-t-il en se levant. Il travaillait à la prison, ce pourrait être… Je ne sais pas, n'importe qui !

Il alla à la fenêtre, sa silhouette massive bloquant une partie de la lumière.

— Ces choses-là ne devraient pas être, dit-il en étirant son bras vers l'arrière, l'index pointant vaguement vers l'enveloppe sur son bureau.

— De Dieu, nous savons seulement ce qu'Il n'est pas… répliquai-je tout bas.

Le recteur avait retrouvé son fauteuil. Je lui demandai ce qu'il attendait de moi. Il m'expliqua que nous n'étions que trois à avoir vu le contenu de cette enveloppe. Sa confiance m'était acquise. Il voulait que je me rende sur place, à Killarney, que je fouille le presbytère, que je me mêle aux paroissiens, aux relations du prêtre. Sa mort récente et dramatique devait faire parler. Il voulait en savoir

15

plus avant de décider ce qu'il convenait de faire avec ces photos.

— Avez-vous songé à la possibilité d'un suicide ? lui demandai-je.

Il fit signe que oui.

— Des policiers ont vérifié s'il n'avait pas laissé de lettre, mais pour eux il semble clair qu'il s'agit bien d'un accident.

Il sortit une pipe de son tiroir.

— Un secret bien anodin que celui-là, n'est-ce pas ? dit-il en souriant pendant qu'il entreprenait de la bourrer avec ce tabac dont j'avais distingué l'odeur en entrant.

Je pensai à ce qu'il m'avait dit à propos du parcours exemplaire du père Lacombe.

— Certains d'entre eux ne sont que, disons, des voyeurs… Enfin, ils ne passent pas à l'acte, lui dis-je en fixant l'enveloppe.

— Justement, Griffin, répliqua-t-il en suspendant son geste. C'est pourquoi je veux savoir à quel visage de la bête je vais devoir faire face.

Et moi, j'avais besoin d'oublier que ma femme était morte en se vidant de son sang sur le bas-côté d'une route, abandonnée là par un chauffard ivre. J'avais besoin de ce prêtre mort et de son secret.

2

Une masse d'air arctique avait étendu son emprise sur le Québec. La neige crissait sous mes pas alors que je marchais dans les rues de Killarney. Une brume duveteuse s'échappait de la rivière Blanche, que j'apercevais parfois entre deux maisons. Un trèfle ornait le porche de certaines d'entre elles, soulignant l'ascendance irlandaise des occupants. À l'approche de Noël, nombreuses étaient celles qui arboraient les décorations de circonstance. Je pensai à toutes les réceptions que ce voyage m'avait permis d'éviter. Et à ces autres âmes esseulées invitées « fortuitement » aux mêmes réceptions par des amis attentionnés. Le regard soucieux de mes amis en était venu à m'irriter à un point tel que je leur demandais d'un ton sarcastique s'ils pratiquaient des lobotomies quand ils avaient le malheur de m'offrir leur aide. Décidément, il valait mieux que je m'éloigne.

Ayant décliné l'offre du recteur d'occuper le presbytère, je venais de m'installer au *Molly Malone*, un petit motel sans charme situé entre une station-service et un commerce de pneus sur la route reliant Killarney à l'autoroute 40. L'idée de séjourner au presbytère ne me plaisait guère et, comme je soupçonnais le dominicain de surtout chercher à faire des économies, je n'avais pas cédé malgré son air ennuyé.

La petite ville était moins loin que je ne l'avais cru et semblait sur le point d'être rejointe par les banlieues qui s'étiraient au nord-ouest. *Failte ! Ciamar a tha thu ?* pouvait-on lire sous une inscription en caractères gaéliques en arrivant, question à laquelle il était plutôt difficile au visiteur de répondre puisque l'on n'avait pas eu l'amabilité d'ajouter la traduction sur le panneau orné des inévitables trèfles. Mais on mentionnait l'année de fondation de Killarney : 1819.

C'était donc avant la Grande Famine en Irlande, puisque mon malheureux aïeul était arrivé à l'été 1847, comme des milliers d'émigrants embarqués à Dublin, Limerick, Cork ou Sligo, sur ce qu'il était convenu d'appeler des cercueils flottants, où on ne mangeait qu'une fois par jour et où il fallait attendre des heures que quelqu'un se lève pour trouver une place pour dormir par terre. Atteint du typhus, son père n'avait pas survécu aux soixante-deux jours de traversée, tout comme une centaine d'autres passagers entassés dans l'entrepont du *Saguenay*, un voilier conçu pour le transport du bois. Quant au petit Daniel Griffin, il était né en plein océan et avait été baptisé aussitôt. Sa mère, épuisée et malade, avait finalement succombé pendant la mise en quarantaine du bateau en face de l'Ile-de-Grâce, dans l'archipel de Montmagny.

Pris en charge par l'évêque de Québec, le nourrisson allait être confié au curé de Sainte-Croix qui, accompagné d'une paroissienne, avait ramené une douzaine d'orphelins pour les donner en adoption dans différentes familles de la paroisse. Déjà attachée à l'enfant, Geneviève Duplessis ne put se résoudre à s'en séparer, et il intégra la famille sans même que l'époux soit consulté. Il devint ainsi le septième enfant des Duplessis, mais conserva son nom, comme la plupart des autres orphelins irlandais.

Je voyais dans l'histoire de cette filiation aux accents tragiques l'exégèse de mon inclination pour un certain fatalisme. Maude se moquait de cette interprétation et trouvait cette histoire merveilleuse : un jeune couple cherchant un avenir meilleur pour un enfant à naître et pour qui notre pays symbolisait l'espoir, une mère qui s'était battue jusqu'à la fin pour que survive son fils et une autre mère prête à élever cet enfant comme le sien. « Et maintenant il y a toi, Philippe Griffin, jeune psychologue promis à un avenir radieux », m'avait-elle dit un jour avec ce sourire confiant, ce merveilleux sourire dont le simple souvenir pouvait réveiller une douleur si aiguë qu'elle semblait capable de dématérialiser le monde autour de moi. Maintenant, je ne doutais plus d'avoir hérité, par une curieuse forme d'atavisme, d'une sorte de gène du malheur, en plus d'un patronyme.

Avec le clocher argenté de l'église Saint-Patrick comme point de repère, je marchais vers cet avenir radieux, insensible à la morsure du froid. Je songeais à cette jeune femme qui avait accouché dans des conditions atroces, alors même que le corps de son mari dérivait quelque part dans l'Atlantique. Je me demandai ce qui était venu à bout d'elle : la maladie ou la douleur de survivre à celui qu'elle aimait.

La ville de Killarney était blottie entre la rivière et les collines. Pour me rapprocher de l'église, je dus emprunter une rue en pente raide qui me conduisit à ce qui semblait être l'artère commerciale. On y trouvait quelques-uns de ces magasins bon marché appartenant à des chaînes que l'on ne voyait plus guère que dans les petites villes. Des commerces avaient fermé boutique, mais les affiches en bois et les façades pimpantes de plusieurs autres témoignaient d'un certain renouveau. Je me promis de revenir plus tard au *Finnegan's Wake*, un pub qui ne semblait pas avoir connu la moindre rénovation depuis des décennies. J'aimais bien ce genre d'endroit. Et je savais qu'il n'y en avait guère de meilleur pour tout apprendre sur la vie des gens du coin.

Derrière l'église, tout en haut d'une colline, se dressait une grande croix blanche. Sans doute le point culminant de ce chemin de croix dont m'avait parlé le recteur. C'était là qu'avait eu lieu l'accident. Le prêtre était mort dans ce sentier escarpé tracé dans la montagne par les membres d'une communauté religieuse. Réputé difficile, le parcours constituait en soi une épreuve pour les courageux dévots qui cheminaient péniblement jusqu'à la quatorzième station. Rares étaient ceux qui s'y rendaient ainsi en plein hiver mais, selon le recteur, le prêtre faisait le chemin de croix chaque vendredi, même quand le temps n'était pas clément. La veille de l'accident, le verglas avait frappé la région, rendant la montée particulièrement hasardeuse.

Les horribles photographies me revinrent en mémoire. S'agissait-il là d'une sanction salutaire que s'imposait le prêtre, en accord avec les règles de saint Augustin, pour que n'empire pas « la plaie de son cœur » ? Même s'il n'avait cédé qu'à la tentation coupable du voyeur, le membre d'un ordre religieux ne pouvait ignorer que, selon ces règles, la chasteté était en fuite en présence de concupiscence charnelle et que, d'après les Écritures, « l'œil impudique dénonce le cœur impudique ». Je songeai à la carrière exemplaire du père Lacombe. Un cheminement sans tache, selon le recteur. J'avais exclu la possibilité qu'il m'ait menti sur ce point. Il était réellement sous le choc et déterminé à en savoir plus. Quant à l'usage qu'il ferait de mes informations, je n'osais me prononcer.

Je ne pouvais exclure la possibilité du suicide. Un religieux tourmenté par des pulsions malsaines auxquelles il aurait finalement cédé de quelque façon et qui s'infligeait l'ultime châtiment. Mais sa présence à cet endroit s'inscrivait dans une routine, et les mauvaises conditions pouvaient expliquer la chute. Et pour les photos, il fallait considérer le fait qu'elles n'étaient pas réellement en sa possession : elles avaient été trouvées dans son courrier. Je sentais bien que son vieil ami s'accrochait à l'hypothèse d'un acte malicieux commis par un détenu du pénitencier ou un paroissien désaxé. Il avait même évoqué la possibilité d'un chantage.

J'arrivais à l'église. Je m'arrêtai pour la contempler de loin. C'était un bâtiment élancé doté d'un unique clocher placé dans l'axe central. Sa partie inférieure était faite de pierres sombres, alors que l'architecte avait privilégié les pierres grises pour la partie supérieure. Style Second Empire, hasardai-je, en m'attardant aux détails. Je m'approchai et aperçus bientôt le presbytère. Légèrement en retrait et flanqué de sapins imposants, il avait visiblement été construit en respect avec la composition symétrique de l'église. C'était un beau bâtiment aux proportions harmo-nieuses, doté d'un toit à mansarde argenté percé de lucarnes. On avait utilisé le même chaînage d'angle en pierres de taille que pour l'église. L'ensemble constituait une belle réus-site et devait dater de la fin du dix-neuviè-me siècle.

Je remarquai des coulées blanches sur la partie sombre de la façade de l'église, et cela me rappela une visite que nous avions faite dans un village près de Québec. Maude était encore aux études et avait trouvé cet emploi d'été dans une fondation vouée à la protection du patrimoine religieux. Son tra-vail consistait à évaluer l'état des églises dans les paroisses rurales. Nous avions passé un été merveilleux à parcourir les campagnes. Cet été-là, nous avions dû revenir souvent à ce village qui allait devenir le nôtre : Maude avait remarqué de semblables coulées blan-ches sur l'église et avait démontré que le mor-tier se diluait sous l'action des pluies, mena-çant du même coup l'un des murs du bâtiment. Nous nous étions mariés dans cet endroit, et c'était dans cet endroit auquel elle s'était tant attachée qu'avaient eu lieu ses funérailles. Elle avait en quelque sorte contribué à sauver cette église. Mais cette église, pas plus que moi, n'avait su la protéger.

Je tâtai la poche de mon manteau : le recteur m'avait confié les clés du presbytère. Cet élégant bâtiment dissimulait peut-être de honteux secrets que j'étais chargé de débusquer. Aiguillé par une impulsion soudaine, je me dirigeai plutôt vers l'église. Un panneau bilingue indiquait l'horaire des messes ordinaires. On avait épinglé le mot « annulée » à côté de celle du samedi soir.

J'ouvris la lourde porte de chêne et reconnus aussitôt l'odeur caractéristique de ces lieux : une odeur d'encens et de boiseries, qui se mêlait aux effluves des lampions. Pour moi, c'était devenu l'odeur de la mort. Comme pour confirmer mes pensées, j'aperçus près du bénitier la photographie du père Lacombe, avec l'inscription *In Memoriam*. Le prêtre avait maintenant un visage. Je l'observai un instant, cherchant dans la banalité des traits de cet homme sans âge l'expression de quelque terrible dissimulation. Je n'y trouvai rien.

J'avançai dans l'allée centrale, mes pas résonnant dans le silence. C'était une belle église, dont les ornements assez sobres mettaient en valeur les vitraux. Derrière l'autel, on avait commencé à installer des banderoles pour Noël. Il y avait un saint Patrick de plâtre dans le jubé, près des confessionnaux.

Des pas me firent sursauter. Un homme surgit de derrière l'autel. Il hésita un instant en m'apercevant puis, constatant que je n'étais pas là pour prier, me salua de la tête et continua à avancer sans me quitter des yeux.

— Bonjour ! lui lançai-je.

Il me salua de la tête de nouveau sans mot dire. C'était un homme maigre d'une cinquantaine d'années, dont les épais sourcils noirs contrastaient avec les cheveux gris. Il portait des vêtements de travail.

— Beaucoup de travail ? lui demandai-je.

— Je suis le bedeau, dit-il en déplaçant péniblement un immense escabeau, alors...

— Ce n'est pas le travail qui manque.

— Exact.

— Je m'appelle Philippe Griffin, dis-je en m'approchant, peut-être vous a-t-on...

— Il fallait le dire plus tôt ! s'exclama-t-il en levant les bras. Ils m'avaient averti... Avec ce nom, je m'attendais à voir un vieil Irlandais ! Notez que je n'ai rien contre eux, ils sont plutôt nombreux par ici.

Il fit une pause et me serra la main.

— Maurice Dubois, précisa-t-il.

— Vous occupez-vous également du presbytère ?

— Seulement pour les travaux de rénovation. Il y a une femme de ménage pour le reste. Vous êtes quoi, pour les frères, une sorte d'enquêteur ?

Il souriait toujours, mais son regard était inquisiteur.

— Je suis psychologue et j'enseigne au collège. Disons que je suis ici pour mettre un peu d'ordre dans les affaires du père Lacombe et voir si je peux aider.

— On en a perdu un bon, un vrai bon. Je lui disais souvent de ne pas monter là-haut en hiver, mais c'était un entêté.

— Quelle âme est sans défauts ?

Le sacristain éclata de rire.

— C'est bien vrai, ça !

— Un terrible accident, dis-je, en observant sa réaction.

Il acquiesça en baissant les yeux.

— Cet endroit est si dangereux ? demandai-je après un instant.

— Vous avez vu la grande croix, tout en haut ?

Je fis signe que oui.

— Elle rappelle la mort d'un jeune bûcheron qui avait fait un pari avec ses amis après une soirée bien arrosée. Il a voulu monter là-haut et s'est brisé le cou en glissant sur un rocher. La croix rappelle l'importance de la tempérance. Elle est haute de 33 pieds, l'âge de Notre-Seigneur.

— Qui l'a retrouvé ?

— Le bûcheron ?

— Non, le prêtre.

— Des jeunes. Probable qu'ils allaient faire des mauvais coups au tombeau. On l'a fermé à cause du vandalisme. Les jeunes ne respectent plus rien. Les Anglos comme les autres. L'autre jour, ils ont même fait un graffiti au presbytère, sur la porte qui…

— La mort du père Lacombe a dû causer tout un choc, le coupai-je.

— Tout un choc, oui. Juste avant Noël… ajouta-t-il en se tournant vers les banderoles. Et on n'a même pas pu faire sonner les cloches.

Je lui jetai un regard interrogateur.

— Il y a des poutres pourries là-haut, expliqua-t-il en levant les yeux au plafond. Alors, si on ne veut pas recevoir une cloche de 2500 livres sur la tête…

Je regardai en l'air. Il secoua la tête tristement. J'évitai de lui parler des coulées sur la façade. Il se lança dans une longue diatribe sur les paroissiens qui ne payaient plus la dîme, ne venaient à l'église que pour les baptêmes, les mariages ou « les pieds devants », puis sur les paroisses qui agonisaient, alors que les communautés religieuses, selon lui, croulaient sous l'argent.

— Vous devriez voir la maison de retraite des frères de l'autre côté, conclut-il en pointant une direction vague.

— Les dominicains ?

— Non, les Frères de l'Instruction chrétienne. Leur école a brûlé et ils l'ont remplacée par ce palace. Il faut passer à côté pour aller au chemin de croix. Tout ça leur appartient. Il paraît qu'ils vont faire un chemin asphalté avec des escaliers et tout. Les croyants n'ont plus les jambes qu'ils avaient…

Son rire résonna dans l'église. Il saisit l'escabeau d'un côté et me fit signe de prendre le mien.

— Savez-vous si votre curé utilisait Internet ? lui demandai-je pendant que nous le déplacions en trottinant.

— Il n'y connaissait rien. Une bénévole s'occupe du secrétariat au presbytère. Elle doit être la seule à s'en servir. Une dame O'Mara. Vous la verrez sûrement si vous vous installez ici.

— Je suis au motel *Molly Malone*, précisai-je.

— Et vous êtes venu ici à pied avec ce froid ?

J'acquiesçai en me demandant comment il avait bien pu me voir arriver et le remerciai pour les renseignements. Alors que je m'apprêtais à sortir, sa voix résonna dans le silence :

— Faites attention si vous montez là-haut !

Je jetai un coup d'œil à la photo du prêtre et poussai la lourde porte, laissant entrer un souffle glacé.

3

Comme si l'aspect des lieux devait s'accorder avec la nature de l'affaire, j'avais cru trouver dans le presbytère une ambiance lourde, des pièces obscures sentant le renfermé, peuplées de vieux meubles poussiéreux détenteurs de secrets anciens. Je m'attendais à un décor demeuré inchangé depuis des décennies, avec des images pieuses épinglées à des papiers peints surannés, comme on en trouvait dans les maisons de nos grands-parents, et de lugubres crucifix au-dessus de toutes les portes.

L'endroit était tout autre, bien éclairé, meublé de façon sobre et fonctionnelle. Il me parut tout de même étrange de visiter les lieux seul, mes pas troublant le silence du presbytère. Au rez-de-chaussée se trouvaient un petit bureau, un salon attenant à ce qui semblait être une salle de réunion, la cuisine et la salle à manger. Après avoir examiné les lieux un moment, je montai à l'étage pour y trouver trois chambres très semblables, meublées d'un lit simple, d'une commode, d'une armoire et d'un secrétaire. Tout était vide, à part quelques draps et couvertures dans les tiroirs, que je n'ouvris qu'avec réticence. Le recteur m'avait demandé de fouiller l'endroit, mais je ne me sentais pas l'âme d'un limier : la perspective de ramper sous les lits ou de palper les oreillers me laissait plutôt froid. Je remarquai un appareil de chauffage d'appoint dans l'une des pièces : il devait s'agir de la chambre du prêtre. La penderie était vide. La plupart de ses effets personnels avaient été enlevés, comme me l'avait dit le recteur.

Au bout du couloir se trouvait une salle d'exercice, avec une bicyclette stationnaire, quelques appareils et un banc de musculation pour les haltères. Tout était en ordre et semblait en parfait état. Le père Lacombe devait garder la forme. Mais la pièce la plus intéressante était le bureau, qui avait vue sur la cour. C'était la seule pièce du presbytère qui trahissait un tant soit peu la personnalité de l'occupant des lieux. On semblait avoir pris un soin particulier à la décorer. Les meubles massifs étaient en acajou, des scènes de chasse à courre ornaient les rares portions de murs qui n'étaient pas occupées par des bibliothèques. On aurait pu se croire dans le cabinet d'un professionnel. De nombreux objets avaient dû être rapportés de l'étranger. Plusieurs représentaient des oiseaux. En fait, il y avait là une véritable collection d'oiseaux de petite taille fabriqués dans les matériaux les plus divers, des écorces de pin aux fragments de coquillages. Chose étonnante, il n'y avait pas de téléphone dans la pièce. Pas d'ordinateur non plus. Je pensai à une sorte de refuge, où le prêtre pouvait méditer et préparer ses sermons. Puis, l'image choquante des photos me revint à l'esprit.

Je feuilletai les livres ; les lectures habituelles des dominicains que j'avais côtoyés au collège : des œuvres classiques et quelques biographies, mais surtout des écrits théologiques ou philosophiques et des manuels datant du cours classique ou du séminaire. Plusieurs livres avaient d'ailleurs été écrits par des professeurs dominicains. Certains étaient dédicacés. Il y avait également des dictionnaires et des encyclopédies, des éditions luxueuses reliées en cuir. Je remarquai que les numéros des volumes ne se suivaient pas, négligence surprenante si on tenait compte de l'ordre qui régnait dans la pièce. Un autre détail attira mon attention, alors que je replaçais un ouvrage sur les oiseaux : il avait été placé entre les deux tomes d'une biographie de John F. Kennedy. Un examen plus attentif des tablettes confirma cette impression que les livres avaient été déplacés récemment : la fine ligne de poussière qui se trouvait habituellement juste à la limite des livres apparaissait parfois, montrant qu'à certains endroits un livre de petit format avait été remis à la place d'un plus grand.

J'avais le sentiment que cette pièce avait déjà été inspectée. Le recteur m'avait dit que nous n'étions que trois à connaître l'existence de ces photos. Peut-être le frère mandaté pour réunir les affaires du prêtre était-il au courant et en avait-il profité pour faire quelques recherches. Si l'enveloppe avait été ouverte ici même, il était possible que le frère ait voulu vérifier s'il n'y avait pas d'autres photos afin de prévenir ses supérieurs. Comme moi, il aurait d'abord concentré ses recherches sur ce qui semblait être la pièce de prédilection du curé, les livres constituant un endroit idéal pour dissimuler des documents de ce genre. Sa précipitation pouvait expliquer ce désordre relatif. Mais il ne s'agissait là que de spéculations. Je réalisais que j'aurais dû questionner le recteur davantage sur les circonstances de cette découverte.

J'en étais à ces réflexions lorsqu'un bruit attira mon attention au rez-de-chaussée. Je n'avais pas verrouillé la porte, alors je m'immobilisai pour concentrer mon attention. Des bruits de pas se firent entendre et un *Hello !* sonore retentit dans le silence. Une voix de femme demandait en anglais s'il y avait quelqu'un en haut.

— Madame O'Mara ? hasardai-je.

— Oui, qui est là ? demanda-t-elle avec un fort accent.

Je lui répondis en anglais en descendant l'escalier.

— Je suis Philippe Griffin. Les frères ont dû vous prévenir de mon arrivée.

Elle déposait son manteau dans le bureau, le visage rougi par le froid.

— Bonjour, me dit-elle. Je m'attendais à quelqu'un de plus vieux.

— Monsieur Dubois a eu la même réaction.

Elle me tendit la main et me demanda de l'appeler Maureen. C'était une femme à l'allure énergique, dans la cinquantaine. Elle était châtaine, mais ses yeux vifs avaient cette couleur particulière propre à certains roux, et j'en déduisis que ses cheveux étaient teints. Nous échangeâmes sur la mort du prêtre, et je me rendis vite compte que mon anglais était plutôt rouillé. J'observai ses réactions pendant la discussion ; je constatai qu'elle en faisait autant. Elle semblait peinée par la mort du prêtre, mais sans plus. Je remarquai qu'elle choisissait ses mots pour parler du père Lacombe, insistant sur les qualités professionnelles du curé. Elle m'expliqua qu'elle faisait du bénévolat au presbytère depuis quelques années, s'occupant surtout de tâches administratives, comme le paiement des factures et la mise en page de certains documents.

— Le père Lacombe utilisait-il l'ordinateur ? lui demandai-je en désignant l'appareil.

— Certainement pas ! s'exclama-t-elle. Je ne suis même pas certaine qu'il était capable de le mettre en marche.

— Vous vous occupiez du courrier également ?

Elle acquiesça.

— Mais seulement celui de la paroisse, précisa-t-elle après une hésitation.

— Le père recevait beaucoup de courrier personnel ?

— Assez régulièrement, oui. Mais maintenant les lettres se rendent directement chez les dominicains. Je continue à m'occuper du courrier de la paroisse, expliqua-t-elle en me montrant des enveloppes dans des plateaux de plastique.

Elle prit les lettres destinées à la poste, les manipula un moment et les remit exactement au même endroit. Je sentais que ce sujet avait créé un malaise. Je cherchais un moyen de tendre une ligne lorsqu'elle dit subitement :

— Il m'est arrivé d'ouvrir une enveloppe par inadvertance, alors je la lui ai remise en m'excusant et il s'est emporté de façon vraiment inattendue. Vous savez, c'était étrange, car c'était un homme plutôt calme et…

Elle ne continua pas sa phrase.

— Qu'y avait-il donc dans cette enveloppe ? demandai-je en souriant, feignant le détachement.

— Oh ! c'était une lettre, tout simplement. Je ne l'ai pas lue. Il recevait souvent des lettres de l'étranger, je crois. Mais après cela, il a toujours fait en sorte de récupérer le courrier lui-même. Il me laissait celui de la paroisse dans ce plateau. Il n'est jamais revenu là-dessus, comme si rien ne s'était passé.

— Peut-être était-ce un mauvais jour…

Elle ne dit rien et se pencha pour allumer l'ordinateur.

— Vous avez Internet ? lui demandai-je.

— Oui, bien sûr. Le diocèse nous envoie un tas de choses par courrier électronique. Les dominicains également.

— Difficile de s'en passer, aujourd'hui. Mais le père Lacombe ne l'utilisait pas…

— Non, je lui imprimais les messages et, parfois, il me demandait d'envoyer une réponse. J'ai déjà voulu lui montrer comment s'y prendre, mais il n'en était pas question.

Elle alluma l'écran et une image apparut en toile de fond : des jeunes filles en robes blanches dansaient sur une estrade en plein air. Je m'approchai et remarquai les bandeaux verts dans leurs cheveux.

— La relève pour nos *Irish Dancers*, m'expliqua Maureen O'Mara en souriant. C'est une troupe de danse folklorique.

— Elles ont l'air charmantes.

Elle désigna une petite rousse avec fierté :

— C'est Emmy, ma petite-fille…

— Elle a un petit côté espiègle…

— J'oubliais que vous êtes psychologue, dit-elle en riant. Rien ne doit vous échapper.

— C'est que ça semble plutôt évident.

Elle éclata de rire.

— Vous êtes d'origine irlandaise, non ?

Je fis signe que oui.

— Alors, vous serez admis au spectacle de Noël de Killarney. Il faut montrer patte verte pour y entrer.

— Vraiment ? Je ne suis qu'un *green francophone*.

— Ça ira. Vous pourrez m'entendre chanter des ballades irlandaises dans la chorale.

— Je n'y manquerai pas.

— Si vous voulez utiliser l'ordinateur, ne vous gênez pas. Vous trouverez tout ce qu'il faut là-dessus.

Elle ouvrit un tiroir et me tendit une feuille.

— C'est une imprimante couleur ? demandai-je en désignant l'appareil.

— Non, c'est un modèle plus ancien, mais elle fonctionne bien. Vous vous y connaissez en langues étrangères ?

— Pas tellement, pourquoi ?

Elle sortit une autre feuille du même tiroir.

— J'ai reçu ceci, mais je n'ai aucune idée de ce que cela peut bien vouloir dire.

C'était la version imprimée d'un courriel. Une seule phrase était inscrite, à part l'en-tête habituel, avec l'adresse de courrier de l'expéditeur et la date : *Per quam solvuntur peccata.*

— Vous avez une idée ? me demanda-t-elle.

— On dirait bien du latin… Il n'y avait rien d'autre ?

Elle secoua la tête.

— Vous pouvez me la laisser ? C'est peut-être une plaisanterie entre dominicains, ils ont parfois un sens de l'humour plutôt curieux.

— J'avais déjà remarqué, oui. Mais le message n'était adressé à personne en particulier. Et il est arrivé après la mort du père Lacombe.

Je regardai l'adresse de l'expéditeur : il y avait le mot *Cuchulainn* et le nom d'un de ces serveurs de messagerie anonymes auxquels on peut s'abonner.

— Il s'agit du nom d'un héros du folklore irlandais, dit Maureen O'Mara.

Puis, comme si elle lisait dans mes pensées, elle ajouta :

— Mais le texte n'est pas en gaélique…

— Je crois que je vais aller du côté du bureau ; je me rappelle y avoir aperçu un dictionnaire latin.

Elle me sourit, et je quittai la pièce pendant qu'elle s'installait devant l'ordinateur. Il y avait bien un dictionnaire latin dans le bureau du prêtre, mais il me fallait réfléchir. Cette anecdote au sujet de l'enveloppe ouverte par inadvertance me semblait importante. La réaction du prêtre pouvait signifier qu'il recevait bel et bien du courrier sur lequel personne ne devait poser les yeux. Et l'attitude de madame O'Mara me laissait songeur : soit elle en savait plus, soit elle avait une intuition. Dans les deux cas, il fallait en tenir compte. Certaines personnes, psychologues ou pas, ont cette faculté de percer les gens à jour.

Si le père Lacombe n'utilisait pas l'ordinateur, il ne pouvait se procurer des photos du genre par le moyen de l'Internet, qui était, semblait-il, devenu une source intarissable pour les pédophiles. Cela pouvait justifier le fait des enveloppes reçues par la poste. Celle que le recteur m'avait montrée était une banale enveloppe beige, sans adresse d'expéditeur. Le nom du prêtre et son adresse avaient été tapés à la dactylo et le cachet indiquait qu'elle avait été postée à Québec. Peut-être achetait-il ces photos à un quelconque fournisseur qu'il ne devait en aucun cas rencontrer en personne. Je devais parler au recteur au sujet des dépenses du prêtre. Il fallait également que je lui demande si quelqu'un avait déjà fouillé le presbytère, même sommairement.

Je me dirigeai vers la fenêtre. Elle donnait sur une cour enneigée au fond de laquelle se trouvait un sous-bois. On pouvait apercevoir plusieurs nichoirs et des mangeoires pour les oiseaux. Je pensai au traité d'ornithologie et à la collection du prêtre : un passe-temps bien inoffensif… Mais il ne fallait pas se fier aux apparences ; ces gens-là n'étaient pas tous des maniaques qui rôdaient la braguette ouverte près des cours d'école. Peut-être était-ce à cela que le recteur avait fait allusion quand il m'avait dit vouloir savoir à quel visage de la bête il devait faire face.

Le visage de l'ivrogne qui avait heurté Maude me revint en mémoire. Les médias s'étaient vite emparés de l'affaire parce que l'homme était un incorrigible récidiviste. Son cas était rapidement devenu le symbole du laxisme de notre système judiciaire. Je m'étais rendu au procès. Mais devant cet être pathétique, toute ma colère avait fondu pour laisser place à une vague répulsion. Je ne comprenais pas comment cet homme brisé pouvait s'être immiscé dans ma vie. Et lorsque l'on évoquait la « victime », je n'arrivais pas à voir Maude. J'avais l'impression que toutes ces personnes passaient à côté de l'essentiel, que la vraie question était de déterminer pourquoi ma vie s'était soudainement arrêtée. Je voulais qu'on me rende Maude. Je voulais son sourire du matin, je voulais les fous rires qui la prenaient lorsqu'elle tombait de fatigue, je voulais l'odeur de ses cheveux dans notre lit. Alors, j'avais cessé d'assister au procès. Ils pouvaient faire ce qu'ils voulaient de cet homme.

Aussi bien, maintenant, m'enfoncer dans la vie de ce prêtre. Je m'installai à la table de travail avec le dictionnaire et cette phrase énigmatique : *Per quam solvuntur peccata*. La tâche se révéla plus complexe que je ne l'avais cru. Les deux premiers mots, une préposition et un adverbe, pouvaient avoir plusieurs sens et je ne trouvai pas les deux derniers. *Solvuntur* se rapprochait de *solvere*, qui pouvait signifier notamment « détacher », « délivrer », « s'acquitter » ou « payer », mais le mot ne semblait pas pouvoir adopter cette forme particulière de *solvuntur*. Quant à *peccata*, il devait être relié à *peccatum*, qui voulait dire « faute » ou « erreur », mais là encore le même problème se posait. Soudainement, je me frappai la tête et entrepris de chercher un dictionnaire *Larousse* : peut-être s'agissait-il tout bêtement d'une de ces phrases inscrites dans les locutions latines des pages roses. Ce n'était pas le cas.

J'en savais pourtant assez pour être convaincu d'une chose : ce message pouvait avoir un lien avec la mort du prêtre et ses activités. S'agissait-il d'être délivré d'une faute ? De payer pour une erreur ? Il me fallait connaître le sens exact de la phrase. J'avais une certaine réticence à demander de l'aide à un de mes collègues dominicains, mais il y avait au collège un autre confrère qui pourrait certainement m'aider. Si le professeur Dufresne m'agaçait un peu avec ses airs pompeux et ses tirades emphatiques, je ne pouvais douter de son érudition. Et il ne se mélangeait guère aux autres.

Je replaçai les dictionnaires et redescendis. Madame O'Mara était toujours devant l'ordinateur. Sans se tourner, elle prit un feuillet à côté d'elle et l'agita au-dessus de sa tête.

— Qu'est-ce que c'est ? demandai-je.

— Le programme de notre spectacle, répondit-elle en se tournant à moitié. Il faut absolument y venir.

Je promis de faire mon possible. Elle me demanda où en étaient mes recherches. Je répondis que je n'étais qu'un piètre traducteur. Comme je voulais en savoir plus sur ce personnage de Cuchulainn, elle me recommanda de parler à un certain Dan Connor. C'était le propriétaire de ce pub que j'avais aperçu plus tôt. Elle m'expliqua qu'il en savait plus que quiconque sur l'histoire de la mère patrie et qu'il lisait même le *Irish Independent* de Dublin. Je remis mon manteau et la remerciai. Avant de sortir, je lui demandai ce que signifiait l'inscription sur le panneau à l'entrée de la ville.

— C'est ce même Connor qui a fait installer cette pancarte quand il était maire. Il se disait que si on ne traduisait pas le texte, cela forcerait les visiteurs à entrer en contact avec les gens du coin.

— Il avait raison.

Elle sourit.

— Cela signifie tout simplement : « Bonjour ! Comment allez-vous ? »

— Vous voyez, vous êtes une bien meilleure traductrice que moi.

Je lui dis au revoir et quittai le presbytère en me demandant quelle aurait été ma réponse à cette simple question.

4

Le professeur Dufresne n'avait pas tardé à me répondre. Je lui avais laissé le message au collège en prenant soin d'épeler les mots, et il me rappela au motel le soir même. Il m'expliqua, en déplorant au passage les lacunes dans l'éducation des nouvelles générations, qu'il s'agissait bien de latin, mais pas sous sa forme classique. Exemples à l'appui, il m'exposa les différentes phases de la décadence latine, pendant que je réprimais mon envie de couper court et de le sommer de me donner le sens de cette phrase. Il me fit ensuite comprendre subtilement que certains doutes subsisteraient sans un contexte plus étoffé. Il y eut alors un silence et, constatant que je n'étais nullement disposé à lui en dire davantage, il me livra finalement sa traduction : il hésitait entre *Par qui sont pardonnées les fautes* ou *Par qui sont remis les péchés*, précisant que le *qui* devait remplacer un mot au féminin. Interrompant le long exposé qui ne manquerait pas de suivre cette précision, je le remerciai et raccrochai.

Jamais je n'avais autant réfléchi au sens d'une simple phrase. Dans la tradition catholique, l'idée de la rémission des péchés est omniprésente. Le *qui* pouvait peut-être tout simplement signifier la mort. Si le prêtre s'était suicidé, en proie aux remords, il aurait pu laisser un message de ce genre, mais le message était arrivé après sa mort – le lendemain, vérification faite. Et le prêtre ne connaissait rien aux ordinateurs. Cela n'excluait pas pour autant l'hypothèse du suicide, bien sûr. D'ailleurs, il aurait pu être poussé au suicide, mais cela ne me paraissait guère plausible. La personne qui avait envoyé ce message au presbytère faisait allusion à une faute ou à un péché et elle savait vraisemblablement que le prêtre était mort. Accidentellement ou autrement. Il pouvait également s'agir d'une vengeance. Une chose était presque assurée : quelqu'un connaissait le secret du prêtre. Voilà qui n'était rien pour rassurer le recteur.

Il me fallait connaître cet énigmatique expéditeur. Qui maîtrisait assez la langue latine pour s'offrir le luxe d'en utiliser une forme moyenâgeuse ? Ou bien il s'agissait d'une personne de grande érudition, ou bien cette phrase avait été tirée de quelque texte ancien. Il me faudrait vérifier cela. Et il y avait ce nom de Cuchulainn. Si c'était vraiment le nom d'un héros de la mythologie celte, on pouvait raisonnablement penser que celui – ou celle – qui l'avait usurpé vivait près d'ici. Je répugnais un peu à l'idée d'en parler à ce Connor. Après tout, Killarney n'était guère plus qu'un grand village. Mieux valait rester discret. Internet me permettrait sans doute d'en savoir plus sur ce personnage.

Cette fois, je me rendis au presbytère en voiture. Comme elle n'avait pas servi depuis le matin et que le froid était toujours aussi intense, la Volkswagen renâcla un peu avant de démarrer.

Le trajet ne prit que quelques minutes. Je me garai devant le presbytère dont seule la lumière extérieure brillait faiblement. Le ciel était dégagé et le reflet de la lune éclairait le clocher de l'église d'une lueur blafarde. Sur la montagne, la croix illuminée paraissait encore plus imposante qu'en plein jour. La devanture de l'église était plutôt sombre, et j'en déduisis que l'on devait économiser l'électricité, puisque je pouvais distinguer des projecteurs éteints au pied de la façade.

Étrange sensation que de pénétrer dans le presbytère en pleine obscurité. Je tâtonnai un moment avant de trouver les commutateurs. J'allumai l'ordinateur dont la laborieuse mise en marche me parut particulièrement bruyante dans le silence de la pièce. J'allai dans le salon pour allumer le téléviseur, en espérant qu'aucun passant zélé n'appellerait la police. Je revins à l'ordinateur : il n'y avait aucun mot de passe à taper, pas même pour le courrier. La boîte de réception était vide, hormis le message dont j'avais une copie. Les adresses du carnet étaient peu nombreuses, essentiellement les correspondants habituels de la paroisse dont m'avait parlé Maureen O'Mara. Rien d'intéressant du côté de l'historique des sites visités, qui comprenait les trente derniers jours. Le site de Loto-Québec était visité régulièrement, de même que celui de la météo et de l'horaire télé. Il y avait également une banque où la bénévole devait faire les paiements de factures.

Je jetai un coup d'œil du côté des fichiers temporaires, susceptibles de contenir de précieuses informations sur les habitudes de navigation de l'utilisateur. Rien de particulier non plus de ce côté. Les fichiers les plus anciens dataient de près de deux mois. Le disque de l'ordinateur ne contenait que les logiciels de base et quelques documents. Le seul auquel je ne pus accéder devait servir à tenir les comptes de la paroisse. Je n'ignorais pas qu'un ordinateur ne livrait pas tous ses secrets aussi facilement, mais là s'arrêtaient mes compétences en informatique.

Les recherches sur Cuchulainn ne mirent pas de temps à donner des résultats. Plusieurs sites en faisaient mention, même en français. Il s'agissait bien d'un héros celte, redoutable guerrier semi-divin reconnu pour sa vaillance. Son nom signifiait « chien de Culann », car il avait tué le chien du forgeron Culann, dont il s'était mis au service pendant un temps afin d'en compenser la perte. Son existence avait été glorieuse mais brève, contraint qu'il avait été par les dieux de choisir entre une longue vie et la renommée. Je trouvai différentes versions de son histoire, typique des mythologies.

Tout cela était fort instructif, mais je n'étais guère avancé. À tout hasard, je soumis la phrase complète du message à un moteur de recherche. À ma grande surprise, un lien apparut. Il s'agissait d'un site de poésie auquel j'accédai immédiatement. Un texte intitulé «*FRANCISCAE MEAE LAUDES* » apparut, avec le sous-titre «*Vers composés pour une modiste érudite et dévote* » : il s'agissait d'un poème en latin de Charles Baudelaire. La phrase se trouvait dans la deuxième strophe, sans traduction. Mon pouls avait accéléré. Je pensai au professeur Dufresne. Il avait au moins raison sur un point : le pronom référait à une femme mais, visiblement, il ne connaissait pas ce poème. Je ne manquerais pas de lui en faire part.

En fouillant dans des sites consacrés à Baudelaire, je réussis à dénicher deux traductions de ce poème faisant partie du recueil *Les Fleurs du mal*. Je devais admettre que le professeur avait fait du bon boulot : l'une d'elles était identique, tandis que dans l'autre la forme était simplement inversée. On traduisait le titre par « *Louanges à ma Françoise* ». Rempli de métaphores et de comparaisons, le texte constituait effectivement un hommage à une femme dont l'influence semblait avoir été plus que bénéfique à l'auteur, qui la comparait tantôt à une étoile salutaire, tantôt à une fontaine de jouvence.

Si le vers en lui-même pouvait sembler lié à mon affaire, le texte me laissait perplexe. Et si je le mettais en rapport avec Cuchulainn, j'y voyais encore moins clair. J'avais envie d'écrire à ce mystérieux expéditeur et d'exiger des explications. Utilisant ma propre adresse, j'envoyai plutôt un courriel au recteur à propos des finances du père Lacombe et afin de savoir si, à sa connaissance, le presbytère avait déjà été fouillé.

Lorsque j'éteignis l'ordinateur, je constatai avec un certain étonnement que mes recherches avaient pris près de deux heures. À la télé, on en était aux nouvelles du sport. En cherchant la télécommande pour fermer l'appareil, j'aperçus une voiture américaine qui passait lentement devant le presbytère. L'occupant semblait regarder dans ma direction. C'était une Caprice de couleur marron avec des enjoliveurs ronds et une antenne sur le coffre arrière : une voiture de police banalisée, à n'en pas douter. Quelqu'un les avait sans doute alertés. Je m'attendais à ce que le véhicule s'immobilise à mon approche, mais le conducteur détourna la tête avant que j'aie pu distinguer ses traits et accéléra subitement. Peut-être était-ce simplement un curieux.

Je rejoignis la route principale et décidai de rouler un peu dans les rues presque désertes de la ville. Là-haut, la croix du Calvaire semblait veiller sur Killarney et rappeler aux croyants à la fois la précarité de leur existence et la possibilité d'un salut. Moi, je ne voyais pas comment je pourrais me tourner vers un Dieu qui était capable de tuer celle qui l'aimait et de laisser vivre celui qui l'ignorait.

Après avoir erré au hasard dans Killarney, en passe, semblait-t-il, de devenir une banlieue cossue, je mis quelques minutes à retrouver la route principale. Lorsque je repassai devant le presbytère, une lueur à une fenêtre attira mon attention. Je ralentis et aperçus la voiture marron stationnée près de l'église. Après un instant d'hésitation, je décidai de continuer mon chemin. Il me faudrait demander au sacristain qui avait accès au presbytère.

5

La résidence des Frères de l'Instruction chrétienne dont m'avait parlé Maurice Dubois dégageait effectivement l'impression de confort aseptisé d'un hôtel haut de gamme. Elle avait été construite dans un cadre idyllique, tout près d'un étang et d'une ancienne scierie transformée en salle d'exposition. Pour se rendre au chemin de croix, il fallait traverser un sous-bois. La neige était jonchée d'épines et de branchettes. Un vent du sud-ouest, chargé d'humidité, avait chassé le froid et continuait de secouer la cime des arbres. Le ciel annonçait de la neige.

Dans une éclaircie à travers les arbres, j'aperçus un alignement de croix blanches dans un enclos rectangulaire : le cimetière des frères. L'été, il devait être pratiquement invisible à partir de ce sentier. Je pensai à la réponse du recteur : il m'avait assuré que personne n'avait fouillé le presbytère, mais que, bien sûr, les effets personnels du père Lacombe avaient été retirés de sa chambre. Quant à ses transactions, rien de bien particulier, sauf une série de chèques personnels à un organisme nommé *Le Camp vert*. Il me demandait de vérifier de ce côté.

Un petit panneau annonçait le début du chemin de croix et nous enjoignait de « prier pour les âmes ». Au pied de la colline se trouvait ce qui devait être un site de prière en plein air. Les bancs, tournés vers une sorte de pergola abritant une statue de la Vierge Marie, étaient à demi ensevelis sous la neige. Les deux premières stations étaient tout près. Faites d'un ciment recouvert de crépi peint de manière à imiter une construction en pierres, procédé que je jugeai d'un goût douteux, elles abritaient les scènes de la Passion. Les personnages, de dimension modeste, étaient protégés des intempéries par une vitre, ce qui n'avait pas empêché leurs couleurs de prendre un aspect délavé. Une plaque identifiait la station et une autre, presque illisible, mentionnait le nom d'un donateur.

À partir de la troisième station, la montée commençait réellement. Le sentier était enneigé et il fallait rester dans les traces de pas des rares marcheurs pour ne pas s'enfoncer. Bientôt, ma respiration se fit plus courte, et je constatai que j'étais trop habillé. Le sacristain m'en avait appris davantage sur la mort du curé, et je comprenais mieux pourquoi on avait écarté la thèse du suicide : le prêtre avait été trouvé avec ses jumelles au cou. Maurice Dubois m'avait expliqué qu'il les apportait toujours, même en hiver, pour observer les oiseaux. On avait supposé qu'il avait glissé d'un escarpement rocheux situé près du tombeau pour tomber une quinzaine de mètres plus bas, dans le jardin de Gethsémani.

Je ne savais trop quelle étrange forme de pudeur avait empêché le recteur de me préciser que le père Lacombe avait été retrouvé à demi empalé sur la clôture de fer forgé ceinturant l'endroit.

J'avais perdu le compte des stations et les plaques étaient recouvertes de neige. Après une portion particulièrement abrupte, le sentier bifurquait soudainement, et j'aperçus la rampe d'un escalier enneigé. Je levai les yeux et vis en haut d'une paroi rocheuse une petite construction en ciment surmontée d'un curieux dôme d'allure byzantine : le tombeau. De là-haut, la vue devait effectivement être magnifique. D'où j'étais, j'avais déjà une très belle vue sur la ville et la rivière. Je ne pouvais apercevoir qu'une partie de la paroi, mais c'était suffisant pour constater qu'il aurait été difficile de survivre à une telle chute. À moins de s'accrocher à cette saillie qui formait une sorte de plateau étroit dans la partie supérieure de l'escarpement, divisant la falaise en deux murs distincts. Malgré la neige, on pouvait distinguer les arbustes qui s'y accrochaient.

Je repris ma montée. Le sentier contournait la crête et, même si les arbres m'empêchaient de la voir, je devinai que la croix était juste au-dessus de moi. Le vent avait balayé la neige sur une station plus près du sommet, ce qui me permit de lire sa plaque : c'était la neuvième, celle de la troisième chute du Christ. Une centaine de mètres plus loin, j'atteignis le sommet. J'observai les lieux : la vue sur les environs était superbe, avec les collines en arrière-plan. Les dernières stations étaient disposées près de trois croix de bois, de dimension plus modeste que l'imposante structure métallique qui se dressait à ma droite.

Je me dirigeai vers le tombeau, la dernière station en fait. Deux petites portes y donnaient accès, mais elles avaient été scellées. Le sacristain m'avait expliqué qu'autrefois les visiteurs pouvaient se recueillir dans l'enceinte, signer une sorte de registre et déposer des intentions. Une fenêtre guère plus grande qu'un hublot me permit de voir à l'intérieur : une reproduction du Christ y reposait dans une sorte de cercueil de verre dont une vitre avait été cassée.

Ce que j'avais aperçu d'en bas était en fait l'arrière du tombeau. Je m'avançai prudemment. Il n'y avait que peu de neige à cet endroit balayé par le vent, et je sentais la glace sous mes semelles. Des poteaux de clôture rouillés étaient censés protéger l'endroit, mais les anneaux vides à leur extrémité montraient que la chaîne avait été enlevée. Je me penchai en me tenant à l'un de ces poteaux. En bas, j'aperçus deux statues : vêtu de rouge et blanc, le Christ était agenouillé, bras ouverts, devant un ange aux ailes déployées dont l'index pointait le ciel. La scène me fit une vive impression : cette statue semblait m'indiquer d'où avait chuté le prêtre.

Je réussis à m'avancer un peu plus pour voir cette espèce de plateau étroit que j'avais aperçu plus tôt. Il était plus large que je ne l'avais cru. J'observai avec attention les arbustes qui avaient réussi à s'y implanter. Alors que je n'avais eu aucun mal à imaginer l'accident d'en bas, il me paraissait impossible que quelqu'un ait pu chuter d'ici sans tomber sur ce sentier rocheux. Mais la végétation était intacte, alors qu'un corps humain aurait nécessairement laissé des traces. Non, pour franchir cet obstacle, il fallait avoir pris un élan. Ou avoir été poussé.

6

À mon retour au presbytère, je remarquai une Chevrolet vétuste stationnée à côté de la Volkswagen. Sans doute la voiture de la femme de ménage dont m'avait parlé le sacristain. Même si je n'étais pas d'humeur à discuter, je décidai de profiter de l'occasion. Afin d'éviter de l'effrayer, je sonnai et attendis sagement qu'elle ouvre, ce qui ne tarda pas. Une femme assez âgée et au regard vif se dressait devant moi, un chiffon à la main.

— Il n'y a personne, s'empressa-t-elle de me dire d'une voix nasillarde en triturant son chiffon.

— Vous êtes sans doute madame Dupuis ? demandai-je en tentant d'afficher un air avenant.

— Vous êtes l'homme des dominicains ? me questionna-t-elle nerveusement sans répondre à ma question.

J'acquiesçai en souriant : j'étais l'homme des dominicains. Elle recula pour me laisser entrer.

— Madame O'Mara dit que je dois continuer à venir pour le ménage jusqu'à nouvel ordre, mais je n'aime pas trop ces choses-là…

— Quelles choses ?

Elle esquissa un geste vague, l'air troublé.

— J'étais ici quand ce policier est venu. Et c'est mon deuxième mort, avec le pharmacien O'Brien, m'expliqua-t-elle avec des trémolos dans la voix.

— Un policier est venu ici ?

— Quand ils ont retrouvé le père Lacombe, John Arseneault, le président de la fabrique, est venu ici et m'a demandé de rentrer chez moi.

— Vous n'aviez pas parlé d'un policier ?

— C'est un enquêteur de police.

— Et il est président de la fabrique ? demandai-je en pensant à ce visiteur inconnu dont j'avais oublié de parler à Maurice Dubois.

La femme de ménage fit signe que oui. Je lui proposai de prendre une pause au salon. Elle me faisait penser à un oiseau affolé. Après s'être affalée dans un fauteuil en poussant un long soupir, elle me précisa qu'elle ne prenait jamais de pause. Elle faisait des ménages depuis quarante ans et avait élevé cinq enfants pratiquement seule. J'avais rarement rencontré une personne aussi nerveuse. Je tentai de la faire parler de ses enfants pour la calmer, mais ils ne semblaient constituer qu'une source d'infinies inquiétudes pour la vieille femme. Il valait mieux aller droit au but.

— Pourquoi ce policier voulait-il que vous sortiez ?

— Il fallait qu'il voie si notre curé avait laissé une lettre ; je lui ai dit que j'achevais mon ménage et que je l'aurais certainement vue, mais il ne voulait rien entendre. Il ne m'a même pas laissée ranger mes produits. Et madame O'Mara m'a demandée de revenir deux jours plus tard parce qu'il avait tout laissé à l'envers. Comme si le père Lacombe avait pu se suicider… Pourtant, il le connaissait bien.

Elle soupira de nouveau et se mit à frotter l'accoudoir avec vigueur, perdue dans ses pensées.

— Et puis quand on veut laisser une lettre, on ne la cache pas sous un matelas, ajouta-t-elle après un moment.

— La routine d'une enquête, sans doute, dis-je en songeant au bon sens de sa remarque.

— Depuis que j'ai trouvé le… corps… du pharmacien, je n'aime pas trop ces choses-là…

Je lui jetai un regard interrogateur. Elle m'expliqua qu'elle avait découvert le cadavre du pharmacien à son chalet du lac Saint-Germain l'automne précédent. L'homme avait été intoxiqué par une fuite de propane.

— Au moins, il est mort dans son sommeil. C'est moins horrible que de tomber de là-haut… Dire que c'est le père Lacombe qui m'avait recommandée à lui. Il lui avait dit que je faisais du bon travail.

— Ils se connaissaient ?

— Bien sûr… La sœur du pharmacien a même accepté de donner l'ordinateur au curé pour ses œuvres.

Je m'efforçai de ne pas laisser voir mon trouble, prenant quelques instants pour réfléchir.

— Le pharmacien n'avait pas d'enfants ? demandai-je enfin.

— Oh non ! C'était un célibataire endurci.

— Pauvre de vous, dis-je en me levant. Une année bien difficile…

Elle vint me reconduire à la porte. Je m'excusai de l'avoir dérangée, et elle me tapota le bras en rougissant, émettant des paroles rendues inintelligibles par le timbre suraigu de sa voix.

Il me fallait parler à Maurice Dubois. L'après-midi achevait à peine et déjà la pénombre s'installait. Je ne mis pas de temps à trouver le sacristain : il était occupé à installer une étoile illuminée au-dessus des portes de l'église. Il me salua de la main quand il me vit approcher.

— Tout s'est bien passé là-haut ? Une sacrée bonne montée, hein ? demanda-t-il d'une voix forte.

— Excellent pour tenir la forme, répondis-je.

— Tu as rencontré la bonne dame Dupuis ?

Je fis signe que oui. Il descendit de son échelle et se planta devant son œuvre.

— Elle est de travers, constata-t-il avec dépit. Il fallait me le dire.

— Je pensais que c'était une étoile filante, plaisantai-je.

Le sacristain éclata de rire.

— Ça ressemble à une blague d'Irlandais, ça…

— Maurice, j'avais oublié de vous demander si quelqu'un d'autre avait accès au presbytère en ce moment.

Il me jeta un regard contrarié.

— Il faudrait que tu cesses de me vouvoyer…

— Oui, d'accord.

Il réfléchit un moment.

— Ben, madame O'Mara, madame Dupuis et les dominicains…

— Je voulais dire à part eux.

— Ben, il y a toi. Et il y a moi…

Il ricana et leva les yeux vers son étoile.

— Hier soir, j'ai aperçu de la lumière au presbytère après mon départ. Une voiture marron était stationnée ici.

Il ne baissa pas le regard, mais je remarquai qu'il s'était raidi légèrement.

— Je ne vois pas trop, dit-il d'une voix lasse, comme s'il se désintéressait de la chose.

— Les gens de la fabrique ont-ils les clés du presbytère ? lui demandai-je alors qu'il remontait dans l'échelle.

— Pas à ce que je sache, répondit-il sans se retourner. Ils font leurs réunions au sous-sol de l'église.

Il redressa l'étoile et se tourna pour m'interroger du regard.

— Ça va, lui dis-je.

— Il ne faut pas s'en faire, il y a des jeunes qui stationnent parfois ici, le soir. J'ai même déjà surpris un gars de la base militaire avec une fille, là-bas au fond. Ils ne respectent plus rien. Au moins, s'ils ne font pas de graffitis…

— J'avais cru que ce pouvait être le président de la fabrique.

Il haussa les épaules.

— Arseneault ? Qu'est-ce qu'il viendrait faire ici à cette heure ?

— Peu importe, dis-je d'un ton détaché.

Je le saluai et repartis vers la voiture. Pour la première fois, j'étais convaincu que le sacristain me mentait, ou du moins qu'il me cachait quelque chose. La neige avait commencé à tomber. L'excursion m'avait ouvert l'appétit, mais je n'avais aucune envie de manger encore une fois au restaurant du *Molly Malone*, un endroit sinistre au possible. Je pensai à ce pub, le *Finnegan's Wake*. On y servait peut-être des repas.

7

Le trajet ne prit qu'une minute, mais je dus me garer dans une rue transversale, les places de stationnement étant rares. Il y avait une certaine animation dans le centre de Killarney : les gens faisaient des emplettes en prévision des Fêtes.

L'intérieur du *Finnegan's Wake* était bien tel que je l'avais imaginé : décor victorien, photos vieillies sur les murs, lampes Tiffany sur les tables. Derrière le bar, une bannière portait la mention *ERIN GO BRAGH*, des affiches vantaient la Guinness ou d'autres bières irlandaises. Un drapeau irlandais pendait du plafond. Je n'avais jeté qu'un bref coup d'œil sur le menu à l'entrée : la perspective de retourner au restaurant du *Molly Malone* lui accordait d'emblée un préjugé plus que favorable.

Si le restaurant du motel avait une clientèle de représentants de commerce déprimés et de travailleurs moroses, il semblait en être tout autrement ici. Le coin du bar était à moitié plein et plusieurs tables de la salle à manger étaient déjà prises. Cédant à une impulsion soudaine, je me dirigeai vers le bar, où l'anglais et le français se mêlaient dans des conversations ponctuées d'éclats de rire. Je m'emparai d'un journal sur une table basse et choisis de m'installer un peu en retrait. Alors que je m'apprêtais à poser mon journal, un texte inséré sous la vitre de la table attira mon attention :

The Great Gaels of Ireland
The men whom God made mad
For all their wars are merry
And all their songs are sad…
Chesterton

— Chaque table en a un différent, dit une voix en anglais.

Un homme massif et aux cheveux grisonnants se tenait près de moi.

— Alors, il faudra que j'essaie chacune d'entre elles, répondis-je.

— Vous êtes dans le coin pour un bout de temps ? demanda-t-il dans un français où ne subsistait qu'une trace d'accent.

— Je suis au *Molly Malone*, je travaille pour les dominicains.

— Vraiment ? Et comment va cette vieille Molly ?

Je déduisis que c'était cette Irlandaise un peu revêche qui m'avait accueilli au motel. Je répondis que ça semblait aller. J'entendis un éclat de rire sur ma droite : un vieil homme me regardait d'un air amusé, une pipe à la main.

— Dan ne peut s'empêcher de faire cette blague stupide pour vérifier si vous êtes pur *shamrock*, m'expliqua-t-il dans un français laborieux.

— Je suis à moitié irlandais, mais je ne comprends pas le quart de ce qu'il dit, dis-je en anglais en m'asseyant. Elle ne s'appelle pas Molly, je suppose…

Les deux hommes éclatèrent de rire. Celui qui devait être Dan Connor m'expliqua :

— Molly Malone était une jolie vendeuse de poisson… Elle est morte et son fantôme pousse toujours sa charrette dans les rues de Dublin. Vous trouverez les paroles de la chanson sur une de ces tables.

Il me tendit la main et se présenta :

— Dan Connor. Et ce vieux débris, c'est Pat O'Sullivan.

— Philippe Griffin, dis-je en lui serrant la main.

Je fis un signe de la tête en direction de l'autre homme, qui m'observait toujours d'un air amusé.

— De la vallée de la Blanche ? me demanda Connor.

— Je suis originaire de Sainte-Croix, sur la rive sud. Descendant d'un orphelin arrivé en 1847 pendant la famine.

—Tant mieux, mon gars. Vaut mieux être irlandais à demi qu'être anglais à n'importe quel pourcentage.

— Donne donc à boire à ce garçon au lieu de l'embêter, lança Pat O'Sullivan.

— Qu'est-ce que je te sers, mon gars ?

— Si je ne commande pas une Guinness, est-ce que je risque quelque chose ?

— Pas si tu prends une Beamish…

J'éclatai de rire.

— En fait, précisa-t-il, presque tout le monde boit de la bière blonde ici, moi y compris.

— Alors, ce sera une bière en fût.

Je me demandai à quand remontait mon dernier verre. À une autre vie. Connor revint avec un pichet et des verres, et s'assit en face de moi en faisant signe à son ami de s'approcher. Je tentai de dissimuler ma surprise.

— Maureen m'a parlé de toi. J'attendais ta visite plus tôt, m'expliqua-t-il pendant que le vieil homme prenait place. Tu voulais en savoir plus au sujet de Cuchulainn, à ce qu'elle m'a dit.

Je lui relatai ce que j'avais trouvé sur Internet. Il m'écouta avec attention, ajoutant des détails à l'occasion.

— Tu sais comment il est mort ? me demanda-t-il.

Je fis signe que non.

— Il s'est attaché à un pilier de pierre afin de mourir debout, dans l'honneur…

Il avait prononcé ces mots avec un drôle d'air, et je me demandai ce que lui avait raconté Maureen.

— Que m'importe de n'avoir qu'un jour et une nuit à vivre, si mes actes et ma réputation me survivent, déclama-t-il avec emphase. C'est ce qu'il aurait dit, selon la légende.

Je pensai à la chute du père Lacombe et au contenu du courriel, me demandant encore une fois quel rapport pouvait être établi entre les deux. Puis, la conversation glissa sur d'autres sujets. Le vieil O'Sullivan raconta des anecdotes amusantes sur son travail de « *foreman* » dans une compagnie papetière où tous les patrons étaient anglais ; les contremaîtres, irlandais et les ouvriers, francophones. Il disait que certains jours, il enviait les francophones de ne rien comprendre. Lorsque je lui expliquai ce que j'enseignais au collège, son visage s'illumina. Cet homme disait n'avoir fréquenté l'école que quelques années, mais sa culture était impressionnante. Il avoua préférer Greene à Joyce, ce qui lui valut un regard chargé de mépris de la part de Dan Connor.

— Toi, tu décores ton pub avec des livres de Joyce, mais tu n'en as lu aucun, répliqua O'Sullivan. C'est une honte que tu aies baptisé ce pub du titre de son roman.

— C'était pour la chanson…

— Tu devrais tout de même penser à te cultiver un peu.

— Mon aïeul est arrivé ici, s'exclama Dan Connor, a échangé le peu qu'il avait contre deux sacs de blé et une hache, et est monté à travers les bois pour trouver un lot plein de roches, alors que les loyalistes recevaient les meilleures terres. Après ça, le gouvernement fédéral est venu exproprier nos terres pour faire cette fichue base.

— Et quel rapport avec Greene ou Joyce ?

— Aucun, mais je fais l'éducation de ce jeune homme.

Nous éclatâmes de rire.

— Alors, les gens d'ici ne sont pas tellement *God Save The Queen*, dis-je.

— La langue nous rapproche des Anglais, m'expliqua Connor, mais la religion et bien d'autres choses nous lient aux francophones. Il y avait même des Irlandais parmi les Patriotes…

— Sauf qu'il y a quand même des Irlandais d'ici qui n'ont pas les francophones en adoration, le coupa O'Sullivan.

— Quand j'étais jeune, dit Connor, nous nous battions avec les francos, mais nous faisions la cour à leurs sœurs.

— Il en a même épousé une, précisa son ami à mon intention.

Dan Connor leva les mains en souriant.

— Ce qui est particulier, c'est que vous formez une minorité dans une minorité, dis-je pendant qu'il remplissait mon verre de nouveau.

— Autrefois, la plupart des villages de la vallée étaient irlandais. Mais il ne reste que Killarney… Quelqu'un a dit un jour qu'en Irlande, l'inévitable n'arrivait jamais, mais que l'inattendu se produisait toujours. C'est encore plus vrai ici. Nous y serons peut-être encore dans cent ans. Mais avec les jeunes qui partent et les banlieusards qui s'installent…

Il désigna la salle à manger d'un mouvement du menton.

— Ce qui ne te tue pas te rend plus fort. *Erin go bragh !* s'exclama Pat O'Sullivan en levant son verre.

— L'Irlande pour toujours ! traduisit son ami en levant son verre à son tour.

Je trinquai avec eux. Le pichet fut prestement remplacé par une jeune serveuse souriante.

— Mes deux fils vivent à Montréal, la fille cadette de Dan est à Québec ; il ne nous reste que son aînée.

— Il faudrait que tu l'entendes chanter *Shule Agra*, dit ce dernier en secouant la tête. Elle tirerait des larmes aux pierres. Tu as des enfants ?

— Euh… non, bafouillai-je. Je suis veuf.

Ils me considérèrent en silence, interdits. Même pour moi, ce mot sonnait toujours étrangement.

— Ma femme est morte dans un accident, expliquai-je.

— Désolé, mon gars, dit O'Sullivan pendant que son ami détournait le regard.

Il y eut un autre moment de silence. Avec mon estomac vide, ma tête commençait déjà à tourner un peu.

— Ma fille est veuve également, déclara enfin Dan Connor d'un ton emphatique.

— Elle est juste divorcée, Dan, le corrigea O'Sullivan.

— Pour moi, c'est comme si cet imbécile était mort. Alors, elle est veuve.

J'éclatai de rire. La conversation reprit un tour plus joyeux. Dan m'expliqua comment il déjouait régulièrement la sécurité de la base pour se rendre sur les terres ancestrales de sa famille. Émaillant ses commentaires de jurons bien québécois, Pat O'Sullivan mettait en doute les exploits de son ami. Régulièrement, des clients venaient saluer les deux hommes et, chaque fois, Dan Connor me présentait en précisant mes origines. L'alcool aidant, je retrouvais une certaine aisance en anglais. Lorsque je dis que Maureen O'Mara m'avait invité au récital de sa chorale, les deux hommes poussèrent des exclamations de surprise et le propriétaire du pub déclara solennellement que, si Maureen O'Mara m'avait invité à ce récital, je pouvais être sacré citoyen honoraire de Killarney.

Avant qu'un autre pichet n'atterrisse sur la table, je me levai et dis que je passais à la salle à manger. Devant leurs protestations, je dus expliquer que j'étais affamé et qu'il fallait que je conduise pour retourner au motel.

— Voilà le problème avec nos jeunes, dit Pat O'Sullivan : aucune résistance.

— C'est à cause de sa moitié française, ajouta le propriétaire.

Je leur serrai la main.

— Tu salueras Molly pour nous, me lança Dan Connor pendant que je m'éloignais.

8

Je passai une partie de la matinée à mettre de l'ordre dans ce qu'il m'avait été donné d'apprendre jusque-là. À cause de la configuration des lieux, la thèse officielle de l'accident m'apparaissait comme la moins probable. Et il y avait trop de mystères autour du prêtre. Si je ne l'écartais pas totalement, l'hypothèse du suicide ne me semblait pas non plus très convaincante : on n'apporte pas ses jumelles pour mettre fin à ses jours. Et on ne choisit pas pareil endroit : il risquait davantage de s'estropier que de se tuer en sautant de là-haut, et je ne pouvais croire qu'il ait délibérément décidé de s'empaler sur cette clôture. Il restait donc le meurtre. Ce message signé Cuchulainn pouvait très bien référer à une vengeance : *Par qui sont remis les péchés*. Mais pourquoi ce message ? Et à qui s'adressait-il ? Me fallait-il trouver un Irlandais lisant Baudelaire ?

Si John Arseneault avait fouillé le presbytère avec un tel acharnement, cela pouvait laisser croire qu'il cherchait plus qu'une simple lettre. Il ne fallait pas oublier qu'il était

également président de la fabrique paroissiale. J'étais convaincu que c'était lui qui était
passé au presbytère après moi. Il fallait que
j'en sache plus à son sujet. Maurice Dubois
avait été évasif, et je ne lui faisais pas totalement confiance. Il fallait que je parle à Maureen O'Mara. De cela et d'autres choses : ces
dons du prêtre au *Camp vert*, l'ordinateur du
pharmacien…

Fuyant la morosité du motel, je passai au
presbytère avant le dîner. L'endroit était
désert. Je décidai de me rendre à pied à la
bibliothèque municipale pour vérifier s'ils
avaient un exemplaire du recueil de Charles
Baudelaire. Elle était située tout près de l'église, dans un bâtiment de briques rouges. L'intérieur était sombre et il y flottait une odeur
qui me rappela celle de mon école primaire.
Dans le hall, je remarquai une affiche annonçant le spectacle dont m'avait parlé Maureen
O'Mara. La préposée me considéra avec sus-
picion et, s'adressant à moi en anglais, me fit
remarquer que la bibliothèque était divisée
en deux, la partie anglaise étant sur ma
gauche. Je me dirigeai vers la droite. Je ne
trouvai aucune section consacrée à la poésie
française. En fait, la collection était plutôt étri-
quée : peut-être le caractère bilingue de l'institution forçait-il la petite municipalité à divi-
ser son budget en deux. À tout hasard, je
consultai le fichier du côté anglais pour véri-

fier s'il n'y avait pas un ouvrage consacré à
la mythologie irlandaise, mais rien non plus
de ce côté. Une chose était sûre : cet énigmatique correspondant ne puisait pas son
savoir ici et, à ma connaissance, il n'y avait
pas de librairie digne de ce nom à Killarney.
Je pensai à la splendide bibliothèque des
dominicains en retournant à la voiture. Un
coup d'œil au presbytère avant de partir me
confirma qu'il était toujours désert.

Je passai en face du pub, me remémorant
ma soirée de la veille : il y avait longtemps
que je ne m'étais autant amusé. Il régnait là
une ambiance particulière, un peu hors du
temps. On se croyait ailleurs, et cela m'avait
fait le plus grand bien. J'étais rentré au motel
l'esprit léger et j'avais dormi jusqu'au matin
d'un sommeil profond.

Je reviendrais au presbytère plus tard.
Songeant à nos conversations de la veille à
propos de l'histoire du village, je décidai
d'explorer un peu les environs. Il était tombé
quelques centimètres de neige et le soleil
brillait. La vague de froid était bien terminée.
Je roulai vers le nord sur la route principale.
Après un kilomètre, j'aperçus la guérite de
la base militaire. Dans son enceinte, de petits
bungalows s'alignaient d'une façon toute
martiale. Je me rappelai avoir aperçu ce
quartier de là-haut, mais j'avais cru que les
autres bâtiments étaient ceux d'une usine.

Dan Connor m'avait dit qu'il y avait également un collège militaire dans la base. Je n'avais jamais fait le lien entre cette base militaire et Killarney, parce que la majeure partie de ses terrains étaient en fait enclavés dans un village situé derrière les collines dont elle avait emprunté le nom : Val-du-Sault. Une idée discutable, compte tenu du jeu de mots que les détracteurs des militaires ne manquaient pas de faire avec ce toponyme.

Plus loin, alors que la route s'éloignait de la rivière Blanche pour s'enfoncer dans la forêt, j'aperçus un panneau annonçant le lac Saint-Germain. Je m'arrêtai. Il y avait là des boîtes aux lettres, et un écriteau donnait le nom des résidents et leur numéro civique. J'avais oublié le nom de ce pharmacien, mais je remarquai par la peinture que l'un des noms avait été changé récemment : c'était la famille Manseau, au numéro 37. Je décidai d'y faire un tour. On n'apercevait pas le lac de cette partie de la route, mais il était tout près. Des chalets sans charme s'entassaient sur la rive sud, d'où l'accès au lac était le plus facile, visiblement. Une colline bordait la rive est et je pouvais apercevoir, entre les arbres, quelques habitations plus luxueuses avec des escaliers conduisant au plan d'eau. Le chemin ne faisait certainement pas le tour du lac puisqu'une falaise interdisait tout accès à sa partie nord. Le lac Saint-Germain était de forme allongée et ne devait pas faire plus d'un kilomètre.

Après le numéro 29, les terrains s'espaçaient et le chemin commençait à monter. Cette partie du secteur semblait plus récente. Plusieurs résidents avaient donné à leur résidence secondaire un nom poétique que l'on pouvait lire sur un panneau à l'entrée de leur chemin privé ; d'autres ne faisaient qu'indiquer leur nom de famille. La plupart étaient des francophones : probablement des gens de Québec qui se réfugiaient ici la fin de semaine. L'été, la plupart de ces résidences devaient être invisibles du chemin. J'arrivai enfin au numéro 37. Sur le panneau, récent, on pouvait lire « *Les Mésanges* ». Je pouvais voir l'arrière du chalet, une construction sobre d'un seul étage, de style champêtre. On devait y avoir une très belle vue sur le lac. Dans un renfoncement, j'aperçus une bonbonne de propane, et le nom de ce pharmacien me revint soudain en mémoire : O'Brien.

Le passage n'avait pas été déblayé récemment. Je n'y avançai qu'à demi, pour faire demi-tour. Je pensais à ces écriteaux enjoignant les résidents à la vigilance : je n'avais pas envie d'attirer l'attention. De l'autre côté du chemin, alors que je m'apprêtais à repartir, une inscription sur un rocher attira mon regard : quelqu'un avait tracé le nombre douze en chiffres romains en utilisant de la peinture rouge. Je crus d'abord à un repère comme en font les arpenteurs ou les entrepreneurs, mais il s'agissait de chiffres romains et la forme en était stylisée : un graffiti, sans aucun doute. Je songeai aux remarques du sacristain au sujet des jeunes, mais ce graffiti détonnait dans le décor. Sans doute un jeune citadin rebelle forcé de suivre ses parents ici les jours de congé.

Je repris la direction de Killarney. Le retour par cette route offrait une nouvelle perspective de la montagne. De cet endroit, je pouvais distinguer une portion du sentier du chemin de croix et la coupole du tombeau. Je revis le jardin de Gethsémani et la statue de cet ange dont le doigt pointait le ciel devant un Christ agenouillé. L'endroit où il avait été arrêté, si je me rappelais bien mon histoire sainte. Je me demandai si le prêtre avait souffert avant de mourir. L'idée que je m'en faisais maintenant était celle d'un homme tourmenté, tiraillé entre des pulsions coupables et une vie conforme à ses croyances. Un ornithologue amateur, amant du plein air et de l'activité physique, qui faisait cette randonnée pénible tous les vendredis. Était-ce pour songer à son homélie ou pour chercher la rédemption ?

Bientôt, j'aperçus la flèche argentée du clocher de l'église. Curieux destin qui me conduisait à fréquenter autant une religion que j'avais rejetée depuis longtemps. Je pensai au recteur. Je ne lui donnais guère de nouvelles et je savais qu'il s'attendait à davantage. Mais il me fallait des faits, du concret. Mon rôle ici, d'ailleurs, n'était pas si clair. Tout dépendait sans doute de ce que je pourrais découvrir.

Je tournai dans la rue qui menait au presbytère et à l'église. Presque aussitôt, j'aperçus dans le stationnement la voiture de Maureen O'Mara. Je stationnai la Volkswagen et me hâtai d'entrer dans le presbytère : elle était devant son ordinateur, des lunettes de lecture sur le bout du nez. Elle les retira dès qu'elle s'aperçut de ma présence et me salua joyeusement.

— Comment allez-vous ? lui demandai-je.

— Très bien. Et vous, pas trop fatigué ?

Je compris qu'elle faisait allusion à ma soirée de la veille : Killarney n'était décidément guère plus qu'un village…

— Ça va, fis-je.

— Il faudra être en forme pour samedi, dit-elle en me pointant du doigt.

— Samedi ?

— Vous n'avez pas oublié le spectacle ?

— Non, non, mais quel jour sommes-nous ?

— Nous sommes jeudi, mon pauvre garçon, répondit-elle d'un ton navré. Et Noël, c'est mercredi prochain.

Je fis un vague signe d'assentiment et détournai les yeux un instant. Au regard qu'elle me jeta ensuite, je compris qu'elle savait pour Maude. Elle parut sur le point de dire quelque chose, mais se ravisa.

— J'aurais quelques questions à vous poser, Maureen, lui dis-je en m'asseyant près d'elle.

Elle fit pivoter sa chaise et me regarda d'un air avenant.

— Saviez-vous que le père Lacombe faisait des dons personnels à un organisme ou à une fondation ?

Elle réfléchit un instant et me fit signe que non.

— Connaissez-vous *Le Camp vert* ?

— Bien sûr, répondit-elle vivement. Ils s'occupent des enfants de familles monoparentales, une sorte de colonie de vacances où les jeunes peuvent pratiquer toutes sortes d'activités.

Elle s'interrompit brusquement et resta silencieuse un moment, les sourcils froncés, tapotant ses dents du bout de ses lunettes. Je pensai que cette femme avait dû faire tourner bien des têtes dans sa vie. Elle avait des traits raffinés et un port de tête élégant qui me rappelaient une actrice des années cinquante.

— C'est John Arseneault, le président de notre fabrique, qui a fondé ce camp avec Russell O'Brien, reprit-elle enfin, l'air songeur.

— C'est le pharmacien qui est mort dans son chalet, n'est-ce pas ?

Elle acquiesça en posant sur moi son regard inquisiteur. Mon cerveau fonctionnait à toute allure et je devinais que c'était le cas pour elle également.

— Saviez-vous que sa famille avait fait don d'un ordinateur au père Lacombe ?

— Je n'avais pas fait le lien, répondit-elle en se frappant la cuisse. Cet ordinateur n'est resté ici que quelques jours : c'est John Arseneault qui est venu le chercher.

Je réfléchis aux implications de cette réponse, réprimant une soudaine envie de lui faire part de certains faits qui, je le sentais confusément, n'étaient sans doute pas sans liens entre eux. Je me contentai de lui demander si elle connaissait bien cet homme. Son expression changea de façon perceptible et, juste à sa façon de me dire qu'elle avait affaire à lui assez régulièrement pour l'administration de la paroisse, je compris qu'elle ne l'appréciait guère.

— Est-il marié ? lui demandai-je, conscient que cette question ne pouvait qu'orienter encore davantage les déductions d'une femme aussi éveillée.

Elle fit signe que non, mais une fois de plus son regard trahit une intense réflexion.

— Il a interrogé Maurice à votre sujet, me dit-elle en jetant un coup d'œil vers la porte.

Surpris, je restai silencieux. Puis, je décidai de lui parler de ma visite nocturne au presbytère et de la réaction du sacristain lorsque je lui avais parlé de John Arseneault. Elle m'écouta avec attention et me confirma que tout portait à croire que c'était bien lui qui était entré après mon départ.

— C'est un enquêteur et... disons qu'il en mène large ici, à Killarney. Il n'aime pas trop les étrangers. Je ne serais pas surprise que notre bedeau – elle employait le mot français – lui doive certaines faveurs.

Après une pause, elle reprit :

— Et à propos de ce curieux message ?

— Par qui sont remis les péchés, lui dis-je. C'est bien du latin : un vers de Charles Baudelaire.

— Baudelaire, répéta-t-elle avec un accent charmant. Saviez-vous que Nelligan était irlandais par son père ?

Je fis signe que non.

— Alors, il vous reste des choses à apprendre.

— Pour ça oui !

Je la remerciai de m'avoir accordé du temps et me levai. Elle me rappela de ne pas oublier le spectacle. Comme je m'apprêtais à sortir, elle me demanda subitement :

— Savez-vous comment saint Patrick a chassé les serpents d'Irlande ?

Croyant à une plaisanterie, j'avouai l'ignorer totalement.

— Il les a amenés à se jeter à la mer du haut d'une colline, me dit-elle d'un air grave.

Je sortis et jetai un regard vers la croix, là-haut, en songeant au sens de ces paroles.

9

Incapable de trouver le sommeil, je pensais au recteur. Le vieil homme n'ignorait pas ma condition. S'il avait parfois une attitude équivoque, je ne doutais pas de sa bonté. En m'envoyant ici, il cherchait sans doute autant à m'occuper l'esprit qu'à servir sa propre cause. C'était un homme très perspicace, mais il fallait lire entre les lignes pour s'en rendre compte : ses paroles étaient aussi mesurées que ses gestes. Les dominicains disaient que le salut du monde constituait leur seule raison d'être : peut-être celui-là réussirait-il à me sauver.

En attendant, il devait attendre un rapport de la situation. Je songeai à cette phrase énigmatique de Maureen O'Mara à propos des serpents. J'aurais dû l'interroger davantage. À n'en pas douter, cette femme était très intelligente. Elle semblait en apprendre davantage avec mes questions que moi avec ses réponses. Dans les circonstances, cette histoire de camp pour les jeunes ne pouvait que renforcer mes soupçons. Était-ce le pharmacien qui avait fourni les photos au père Lacombe ? Cela pourrait expliquer l'empressement du prêtre à mettre la main sur l'ordinateur : il pouvait contenir des éléments compromettants. Mais les photos étaient arrivées bien après la mort de Russell O'Brien. Le prêtre avait-il un nouveau fournisseur ?

Des éclats de rire troublèrent le silence. Depuis que je m'étais couché, des phares éclairaient régulièrement la fenêtre de ma chambre, embrasant les rideaux rouges bon marché qui la décoraient. La fausse Molly Malone m'avait dit que le restaurant se transformait en une sorte de club country le jeudi soir. Je m'étais couché tôt, mais ma fatigue était restée suspendue dans le silence et je n'avais pas trouvé le sommeil. Je regardai l'heure : il était minuit trente.

Je me tournai une autre fois, décidé à m'endormir. Je pensai à ma visite au chalet du pharmacien. Ce graffiti me revint en mémoire. Décidément, il détonnait totalement dans le décor. Pourquoi un douze en chiffres romains ? Le sacristain avait fait allusion à des graffitis sur le presbytère lorsqu'il m'avait expliqué comment des jeunes avaient retrouvé le corps du prêtre. Je n'avais vu aucune trace de graffiti sur le bâtiment. Il y avait un point commun entre l'emploi des chiffres romains et le message de ce Cuchulainn en latin : leur caractère anachronique. Il pouvait donc y avoir un lien quelconque.

J'avais résolu d'aller inspecter de plus près le presbytère le lendemain mais, comme je constatais avec un certain dépit que le sommeil ne viendrait pas avant des heures et que des fêtards avaient déplacé leurs libations vers la chambre voisine de la mienne, j'enfilai mes vêtements et décidai de m'y rendre immédiatement.

Dans la voiture, je m'assurai que la lampe de poche que je laissais dans le coffre à gants fonctionnait. Je quittai le stationnement habituellement désert du motel qui, cette nuit-là, était rempli de camionnettes. Décidément, les cow-boys affectionnaient ces véhicules. Ayant abandonné l'idée de trouver le sommeil, je ressentais un certain soulagement. J'avais besoin de bouger.

Killarney sommeillait paisiblement sous un ciel oranger. Il allait neiger de nouveau. Pour me rendre au presbytère, j'empruntai une rue parallèle à la route principale. Elle était bordée d'arbres immenses dont les branches formaient une sorte de voûte au-dessus de la chaussée. Ce devait être magnifique en été. Dans les quartiers résidentiels, on ne voyait guère plus ce genre d'aménagement désormais. Je lus sur un panneau qu'il s'agissait de la rue Shannon. Les maisons y étaient cossues, mais sans ostentation. J'aperçus le clocher de l'église entre les branches dénudées de ces grands ormes. Qui aurait cru que cet élégant bâtiment cachait des poutres pourries et que le mortier de ses pierres se diluait ? Les cloches ne sonnaient plus à Killarney et on n'y célébrait plus la messe depuis que son prêtre était mort empalé dans le jardin de Gethsémani. Vu de l'extérieur, à peu près rien n'avait changé. Comme pour moi. Mais derrière cette façade ne subsistaient que le silence et la désolation.

Je souriais avec amertume en arrivant au presbytère : jamais je n'aurais cru pouvoir me comparer à une église. Je jetai un coup d'œil aux alentours et sortis avec la lampe de poche. Comme on n'avait déblayé aucun chemin pour se rendre à l'arrière du bâtiment, je marchai dans la neige. À cause de la lune, la nuit était assez claire, mais le mur arrière du presbytère ne bénéficiait pas de cette relative clarté. J'allumai ma lampe de poche et promenai le faisceau sur les pierres grises. Rien de ce côté. Je contournai la véranda. La neige s'était accumulée davantage à cet endroit et je m'enfonçais presque jusqu'aux genoux.

Je m'arrêtai pour enlever la neige qui s'était glissée dans le haut de mes bottes. Lorsque je relevai la tête, un peu essoufflé, j'aperçus une entrée qui devait conduire au sous-sol du presbytère. Je me rappelai que le sacristain avait parlé d'une porte. Je braquai la lampe de poche : quelqu'un y avait tracé un *XII* rouge.

10

Je n'avais eu que quelques heures d'un sommeil agité. Dès mon réveil, mes pensées s'étaient tournées vers les événements de la veille. Je n'avais aucune idée de la signification de ce graffiti, mais ce ne pouvait être le fruit du hasard : il s'agissait soit d'un avertissement, soit d'un message laissé après ce qui m'apparaissait de plus en plus être des meurtres. Convaincu que l'auteur de ces graffitis avait également envoyé cet étrange courriel, j'avais laissé toute retenue de côté et utilisé l'ordinateur du presbytère avant de partir pour lui envoyer un message lapidaire : *Pourquoi XII* ?

Après avoir déjeuné au restaurant du motel, qui avait à peu près retrouvé son aspect habituel après cette bruyante soirée country, je décidai de me rendre immédiatement au presbytère. Comme j'avais utilisé l'adresse de la paroisse, je voulais être le premier à utiliser l'appareil. Une neige légère avait commencé à tomber. Pendant que je balayais les vitres de la Volkswagen, une voix inconnue m'interpella en anglais :

— Vous allez au presbytère ?

Je me tournai : au volant d'une Caprice marron, un homme au visage rougeaud braquait sur moi un regard peu amène. Je lui jetai un regard interrogateur. Il exhiba sa plaque sans détourner le regard.

— Vous êtes John Arseneault, je suppose…

— Lui-même, répondit-il.

Je me présentai et expliquai que je travaillais pour les dominicains. Il se contenta de hausser les épaules avec un air méprisant.

— J'ai su que vous étiez président de la fabrique paroissiale, dis-je en m'approchant légèrement.

Il hocha la tête presque imperceptiblement.

— Je ne suis pas sûr de comprendre ce que vous faites ici. C'est d'un nouveau curé dont nous avons besoin.

— Je crois savoir que le père…

— Je sais tout cela, m'interrompit-il. Je vous demandais si vous vous rendiez au presbytère.

— J'avais l'intention d'y passer, oui.

— Alors, il faudrait éviter de ramper partout comme un voleur. Cela rend tout le monde nerveux. Il y a eu suffisamment d'accidents dans le coin récemment.

J'allais répondre lorsqu'il démarra en trombe. Je restai là un instant, le balai à neige à la main, à me demander s'il y avait une menace voilée dans ses dernières paroles. Puis, je me rendis au presbytère, heureux d'avoir pris la précaution d'effacer mon message avant de partir.

En arrivant, je jetai un coup d'œil aux alentours. Une vieille dame se berçait à la fenêtre d'une maison voisine. J'avais l'impression qu'elle regardait dans ma direction. Je remarquai qu'on avait marché dans mes traces de pas de la veille. Arseneault, sans doute, ou la personne qui l'avait averti. Le sacristain, peut-être… La neige s'intensifiait. J'entrai dans le presbytère et allumai l'ordinateur avant même de retirer mes bottes et mon manteau.

Aucun nouveau message. Je réalisais que j'avais manqué de jugement en utilisant l'adresse de la paroisse : cela garantissait mon anonymat, mais comment m'assurer d'être le premier à lire la réponse de ce Cuchulainn ? Si jamais il daignait répondre… J'étais à peu près certain que l'auteur des graffitis était assez jeune. Ils avaient été faits à la bonbonne avec une certaine dextérité et ce style particulier qu'affectionnaient les graffiteurs.

Soudain, alors que je contemplais avec dépit la flaque d'eau que mes bottes avaient laissée sur le plancher, l'évidence me frappa : c'était à la bibliothèque scolaire que j'aurais dû aller. J'utilisai Internet pour trouver l'école secondaire la plus proche. La recherche ne donna d'abord aucun résultat, ce qui ne m'étonna pas : il n'y avait sans doute aucune école secondaire à Killarney. J'essayai avec Val-du-Sault. Le site de la municipalité comportait un lien vers une école qui se targuait d'être la seule école publique bilingue de la province. Je déduisis que c'était l'école que fréquentaient les jeunes de Killarney. Je notai son adresse et sortis après avoir tenté avec un succès mitigé d'essuyer mes dégâts avec des mouchoirs.

Je devais m'y rendre immédiatement : c'était vendredi, le dernier jour avant les vacances de Noël. Se dirigeant d'un pas traînant vers l'arrière de l'église, Maurice Dubois m'envoya la main. J'eus l'impulsion de lui demander le chemin pour me rendre à cette école, mais me ravisai en pensant à ma rencontre avec l'enquêteur : il me fallait être plus discret.

À une quinzaine de minutes de route de la base militaire, Val-du-Sault était une petite ville banale et fonctionnelle où tout semblait graviter autour de quelques scieries assez importantes. Je fis le plein d'essence et en profitai pour demander au pompiste où se trouvait l'école secondaire. Comme c'était l'usage en campagne, il m'indiqua la route à suivre sans nommer les rues, se servant plutôt de repères familiers : la voie ferrée, un casse-croûte, le réservoir…

Je trouvai l'endroit facilement : un bâtiment formé de blocs rectangulaires bâti en plein champ. Pas étonnant que les jeunes songent à quitter l'école.

Je pénétrai dans les entrailles du monstre. Sur un mur de béton, dans un vestibule aussi immense qu'inutile, régnait une sorte d'immense objet décoratif, croisement entre la tapisserie et la sculpture, qui semblait sorti tout droit d'un esprit dément. Le secrétariat se trouvait dans la pénombre, à ma droite, dans un corridor exigu. Je demandai comment me rendre à la bibliothèque. La réceptionniste me traça un itinéraire kafkaïen que j'oubliai aussitôt, retenant seulement que je devais me rendre au deuxième étage. Après quelques minutes d'errance dans des couloirs déserts, je croisai une élève qui marchait en traînant consciencieusement les pieds. Visiblement emballée par cette mission inattendue, elle offrit de me reconduire à la bibliothèque. Elle m'expliqua que la plupart des élèves profitaient d'une journée de plein air, mais qu'elle devait rester en retenue. Je ne lui demandai pas pourquoi.

Elle s'immobilisa devant les portes de la bibliothèque, qu'elle désigna d'un geste las avant de tourner les talons sans répondre à mes remerciements. J'entrai en me demandant comment j'allais retrouver le chemin de la sortie. D'assez grande dimension, la bibliothèque ressemblait à celle de mon école secondaire : des tapis élimés, de grandes tables rectangulaires au centre et les rayonnages au fond. Différence notable, des ordinateurs semblaient avoir remplacé les classeurs remplis de fiches.

Derrière le comptoir des prêts, une dame me jetait des regards perplexes et vaguement inquiets. Je réalisai que je n'avais préparé aucun plan qui justifierait ma présence. Il me faudrait improviser. J'expliquai que j'enseignais dans un collège, ce que je jugeais de nature à la rassurer.

— Je suis présentement au presbytère de Killarney et je n'ai pas réussi à mettre la main sur certains ouvrages utiles à mes recherches, continuai-je.

— Des recherches, je ne sais pas si… dit-elle en posant sur moi un regard inquisiteur.

— J'aurais notamment besoin de consulter un dictionnaire latin et quelques œuvres littéraires si vous n'y voyez pas d'inconvénient.

— Un dictionnaire, oui, sûrement, mais nous ne pouvons pas les prêter à…

— Ne vous inquiétez pas, la coupai-je. Je n'en aurai que pour quelques minutes.

Elle contourna le comptoir et me guida vers les ouvrages de référence.

— Il doit être assez rare que des élèves consultent des dictionnaires de ce genre, commentai-je aimablement.

— Mon Dieu ! Oui, plutôt rare… Ils vont peut-être disparaître dans l'élagage, quand nous aurons fini de tout informatiser, même si un professeur insiste pour que nous les conservions. Avec les élèves, aujourd'hui…

Elle me jeta un regard affligé, et je hochai la tête pour témoigner de ma commisération.

— Pour vos autres recherches, il faudra consulter l'ordinateur, précisa-t-elle en s'éloignant.

Je n'avais même pas apporté de quoi écrire, ça ne faisait pas très sérieux. Je tournai les pages pensivement. À tout hasard, je cherchai les mots du vers de Baudelaire. Cela ne m'apprit rien. Je décidai plutôt d'utiliser l'ordinateur pour vérifier s'ils avaient *Les Fleurs du Mal*. La recherche ne prit que quelques secondes et m'indiqua que le recueil était disponible. Je jetai un coup d'œil vers le comptoir : aux prises avec un élève qui voulait utiliser Internet pour clavarder, la bibliothécaire était dans tous ses états et voulait en référer au directeur.

Je trouvai le livre parmi d'autres ouvrages de poésie. C'était une édition assez ancienne. Il y avait un code à barres sur la couverture, mais je ne trouvai pas à l'intérieur ce feuillet sur lequel on indiquait les numéros des emprunteurs et les dates de retour. Je cherchai le poème *Francisca Meae Laudes* et constatai que la table renvoyait à une page manquante : on avait mis un soin particulier à la découper. Mon pouls s'accéléra : je tenais quelque chose.

En consultant la table, j'avais remarqué que les différents poèmes du recueil étaient numérotés en chiffres romains. Cela me rappela le graffiti. Le numéro XII se nommait *La vie antérieure*. Je le lus avec attention à quelques reprises. C'était un très beau sonnet, mais il ne contenait rien qui paraissait avoir un lien quelconque avec l'affaire. À part peut-être cette allusion à un « secret douloureux » dans le dernier vers. Dans cette édition, le poème en latin n'était pas traduit.

Je replaçai le recueil, tout de même convaincu d'avoir franchi un pas important : l'auteur de ce message fréquentait – ou avait fréquenté – cette bibliothèque. Et il pouvait bien avoir utilisé ce dictionnaire pour essayer de traduire ce poème. Ou Internet, bien sûr… Je pensai à une chose : si le dictionnaire ne portait pas de code à barres, ce devait être parce qu'il y avait toujours un feuillet ou une fiche de prêt à l'intérieur, à supposer qu'il puisse être emprunté.

C'était bien le cas. Je pus voir qu'il n'avait été emprunté qu'une seule fois depuis des années – c'était l'année précédente, mais je n'avais qu'un numéro d'emprunteur. Je me dirigeai vers la bibliothécaire, qui avait réussi à se débarrasser de l'importun.

— Celui-là a quand même été emprunté une fois l'année dernière, lui dis-je en souriant. Un professeur, sûrement…

— Elle prit le dictionnaire et consulta la fiche en fronçant les sourcils.

— Non, ce n'est pas un numéro d'enseignant. Et ce n'est pas moi qui l'ai prêté. L'an dernier, nous avons reçu une stagiaire qui devait…

— Un élève aurait emprunté un dictionnaire latin ? demandai-je d'un ton incrédule.

Elle regarda le numéro et tapota son clavier avant de s'exclamer :

— Pas celui-là ! Winston !

— Winston ?

— Drôle de prénom pour un francophone, non ? Il a quitté l'école, mais son dossier est toujours actif parce qu'il nous doit des livres. Son père dit qu'il est en Alberta, ou je ne sais trop où, et pas moyen de mettre la main sur ces livres…

— Il est de Killarney ?

— Je ne sais trop. Mais son père est de la base militaire. Un drôle de numéro.

Je me demandai si elle parlait du père ou du fils.

— Ce devait être un élève assez doué, s'il consultait des ouvrages du genre…

— C'est ce qu'ils disent tous, mais certainement pas un élève modèle, en tout cas. Il n'avait plus le droit d'utiliser les ordinateurs ici parce qu'il avait réussi à entrer dans le site de la commission scolaire. Il était plutôt bizarre… D'ailleurs, il était suivi par la psychoéducatrice de l'école.

J'hésitais à lui demander son nom de famille, mais il me le fallait.

— Plusieurs jeunes vont travailler dans l'Ouest l'été. Il est parti depuis longtemps ?

— Depuis l'été dernier, dit-elle en soupirant.

— En tout cas, il s'est apporté de la lecture, plaisantai-je.

Elle jeta un coup d'œil à l'écran, la mine renfrognée.

— Des livres de philosophie… Je me suis toujours demandée s'il lisait vraiment tous ces livres.

— Je connais des gens du collège militaire, mentis-je. Ce ne serait pas un Bellefeuille ?

— Non, c'est un Sénécal.

— Il vous en faut, de la patience, pour travailler avec les adolescents…

— À qui le dites-vous ! soupira-t-elle.

— J'ai terminé. Je vais replacer ce livre sur…

— Non, laissez-le ici, j'ai l'habitude…
Vous avez terminé vos recherches sur…?

— Et je vous en remercie, dis-je. Je vous
souhaite un bon congé des Fêtes. Je suis certain que c'est bien mérité.

Elle me remercia en rougissant légèrement et m'enjoignit de ne pas hésiter à revenir.

11

Dan Connor avait constaté que j'étais assis à la table où on pouvait lire les paroles de la chanson racontant l'histoire de Molly Malone. Je comprenais mieux pourquoi il m'avait lancé un clin d'œil au passage avec cet air goguenard. Je revenais du presbytère, où j'avais reçu ce qui semblait être une réponse à ma question. *C'est l'heure des trois corneilles*, m'avait écrit celui ou celle qui signait Cuchulainn. Si ce message n'était pas simplement l'œuvre d'un plaisantin, j'étais peut-être en contact avec un meurtrier. Ou à tout le moins avec quelqu'un qui savait quelque chose à propos de ces morts suspectes et du graffiti que j'avais aperçu près du chalet et sur le presbytère.

Mais la réponse était une énigme en soi. Sur Internet, j'avais passé des heures à chercher dans les textes de Baudelaire une allusion à trois corneilles, mais je n'avais rien trouvé. J'avais été interrompu par l'arrivée de Maureen O'Mara. Visiblement très nerveuse, elle était venue imprimer des programmes pour le récital du lendemain. Elle m'avait recommandé d'arriver à l'église avant dix-sept heures si je voulais avoir une bonne place. Je l'avais laissée pour me rendre au *Finnegan's*.

Si cette réponse était une référence à la mythologie celtique, comme ce pseudonyme de Cuchulainn, peut-être Dan Connor pourrait-il m'éclairer. Je croyais trouver l'endroit désert, mais le pub se remplissait à mesure que la pénombre s'installait en cette fin d'après-midi de décembre. Je me rappelai que c'était vendredi et que les raisons de festoyer étaient nombreuses à l'approche des congés. Et il fallait bien combattre la déprime des jours les plus courts de l'année.

— On dirait que tu viens de voir un Anglais au fond de ta bière, fit une voix à mes côtés.

Dan Connor s'était installé devant moi. Je souris.

— J'étais perdu dans mes pensées…

— Ne te perds pas trop de ce côté, fils, dit-il en posant les paumes sur la table. Peut-être que tu fréquentes trop les moines…

— D'accord. Je vais faire attention… Mais j'aurais une question pour vous.

— Tout ce que tu veux. Tant que tu ne travailles pas pour les services secrets britanniques. Avec tout l'argent que j'envoie à l'IRA…

Il éclata de rire en abattant son poing sur la table.

— Non, je travaille simplement pour les dominicains.

— Ceux-là peuvent être encore plus redoutables, tu ne crois pas ?

Je me contentai d'un regard équivoque.

— Je me demandais si vous connaissiez quelque chose dans la mythologie celtique qui aurait trait à trois corneilles.

— Toute une question que tu me poses là, dit-il en reculant sur sa chaise.

Il réfléchit un moment.

— Ton Cuchulainn, lorsqu'il est mort, trois corneilles s'étaient perchées sur sa tête et ses ennemis ont compris que Morrigan, la déesse de la mort, était venue le chercher. Les trois corneilles sont un symbole lié à Morrigan, dont le nom signifie « Reine des fantômes », ou quelque chose du genre. C'est également la déesse celtique de la guerre. On dit qu'elle peut prendre la forme d'une très belle femme ou d'une vieille sorcière hideuse. Pour ma part, je choisirais la belle femme…

— Elle n'annonce rien de bon, donc, dis-je sur le ton de la plaisanterie.

— Pas vraiment, non. Mais elle symbolise aussi ce qui permet aux héros d'accomplir leurs exploits.

Je hochai la tête et le remerciai. Il comprit que je n'allais pas lui expliquer pourquoi je lui posais cette question. Il me demanda si j'allais toujours au récital le lendemain.

— Oui, je viens de voir madame O'Mara. Je crois qu'elle commence à être un peu nerveuse…

— Nerveuse ? Tu as de ces mots ! C'est un véritable paquet de nerfs. Je ne veux pas la voir ici jusqu'au spectacle.

Il se leva.

— Mais c'est un sacré bon récital, tu vas apprécier.

Il me souhaita de passer une bonne soirée et retourna derrière le bar, d'où on lui lançait des regards désespérés depuis un moment. L'endroit était maintenant bondé. Je renonçai à lire le journal au bar et me dirigeai du côté des banquettes de la salle à manger. Je songeais à sa réponse. Dans les deux cas, les messages faisaient référence à une femme. Ce ne pouvait être un hasard. Si l'heure des trois corneilles, c'était l'heure de Morrigan, déesse de la mort, alors le graffiti avait bel et bien un rapport avec le décès de ces hommes. Une idée me vint à l'esprit : le nombre en chiffres romains était peut-être celui de l'horloge, le douze, la dernière heure…

Une dame d'âge mûr vint prendre ma commande en français. Elle ressemblait à la femme de ménage du motel. En parcourant le menu à la hâte, je réalisai que je n'avais rien avalé depuis le matin. Comme elle me proposait de revenir plus tard et que ma faim se manifestait soudainement avec insistance, je choisis le plat du jour. Elle avait plusieurs stylos à sa ceinture ; je lui demandai de m'en prêter un.

Je saisis un napperon de papier et griffonnai quelques notes. Si on reliait les deux messages de Cuchulainn, on avait une allusion à la rémission des péchés et à l'heure de la mort. Quant au pseudonyme, il référait à un vaillant guerrier, à ce défenseur de la tribu au destin héroïque. J'eus la vision fugitive d'une silhouette indistincte précipitant le prêtre vers cette mort atroce. Il avait été puni pour un péché, expédié au royaume des morts par un héros. Je revenais à mon idée de vengeance.Et il y avait cette page manquante dans le recueil de la bibliothèque scolaire… J'étais persuadé que l'auteur des messages fréquentait cette école, ou du moins que c'était un ancien élève. Ce Winston Sénécal me semblait un suspect valable, si ce n'était d'un léger détail : il avait quitté la province depuis des mois.

La serveuse arriva avec mon repas. Comme elle lorgnait du côté de son stylo, je le lui rendis en la remerciant. Elle avait remarqué que je m'étais servi d'un napperon pour écrire et me jeta un regard courroucé. Je lui souris benoîtement, mais elle tourna les talons sans mot dire. Elle revint quelques instants plus tard avec un nouveau napperon et replaça bruyamment les ustensiles éparpillés.

— C'est délicieux, commentai-je en levant ma fourchette.

— Tant mieux, dit-elle. Pendant qu'on mange, on ne pense pas à faire des dégâts.

Je faillis lui demander si elle était une parente de John Arseneault. Décidément, ce n'était pas ma journée. Je pensai à cette conversation avec le recteur, en début d'après-midi. À mots couverts, il s'était enquis de la situation, paraissant surtout désireux de savoir si j'avais exploré la piste des détenus. Je lui avais laissé comprendre que tout m'éloignait de cette hypothèse, mais j'avais hésité à lui faire part de certaines de mes conclusions. Tant que je n'en saurais pas plus, il me fallait demeurer prudent. J'avais senti sa déception. Il avait sans doute deviné que si je n'en disais pas plus, c'était parce je croyais le prêtre impliqué dans quelque chose.

Puis, soudain, après une hésitation, il m'avait dit que l'Ordre avait reçu l'appel d'un enquêteur de Killarney. L'homme leur avait dit que, pour la police, le dossier était clos et qu'il s'agissait bel et bien d'un accident, mais de les prévenir si un quelconque élément pouvait semer un doute dans leur esprit. C'était sûrement John Arseneault, mais j'avais jugé préférable de ne pas poser la question

au recteur. Comme j'avais senti qu'il ne me
disait pas tout, je lui avais demandé si l'enquêteur avait dit autre chose. « Il a dit qu'il
pouvait remuer les choses un peu plus, si
c'était ce que nous voulions », m'avait-il
répondu, en articulant les mots comme s'il
prononçait une sentence. Voilà qui ressemblait à une menace voilée de la part d'Arseneault. Après un long moment de silence,
j'avais demandé au recteur ce qu'il voulait
que je fasse. Il m'avait dit de continuer. Pour
l'instant.

12

Je ne m'étais pas assis sur un banc d'église depuis les obsèques de Maude. Je regardais les gens de Killarney arriver, joyeux, déjà grisés de l'ambiance de Noël. Près de l'autel, les fillettes qui devaient danser avant le récital se pressaient fébrilement autour de leur professeur. Parmi les têtes rousses, je crus reconnaître la petite-fille de Maureen O'Mara.

Tant d'insouciance ! Je pensai aux photos du prêtre. J'avais revu sa photographie en arrivant : le visage banal d'un homme d'âge mûr. Quelqu'un qui s'intéressait à l'observation des oiseaux pouvait-il être totalement mauvais ? Jusqu'à quel point pouvait-on être tenu responsable de ses pulsions malsaines ? Voilà une question à laquelle je n'avais jamais su répondre, malgré ma formation de psychologue. Saint Thomas d'Aquin soutenait que les vertus humaines ne nous suffisaient pas pour un accomplissement dans la plénitude, que les vertus théologiques étaient essentielles. Avec toutes ces questions qui restaient sans réponse, je devais conclure qu'il avait sans doute raison. Et qu'il me manquait quelques vertus humaines et toutes les vertus théologiques.

Je cherchai des visages familiers dans l'assistance, mais ne reconnus que quelques clients du *Finnegan's*. Les bancs étaient maintenant presque tous occupés. Des musiciens commençaient à prendre place à l'avant en saluant des spectateurs d'un geste de la tête. Une famille s'installa à l'extrémité de mon banc en me jetant des coups d'œil furtifs. Puis, je vis apparaître la silhouette massive de Pat O'Sullivan. Je le saluai.

— Pas question que je garde des places pour ces lambins de Connor. Ils écouteront leur fille debout au fond de l'église, dit-il dans son français laborieux en s'asseyant près de moi.

— La veuve ?

Il éclata de rire.

— Il n'y a que Dan pour dire de pareilles âneries, commenta-t-il en passant à l'anglais.

Il désigna une jeune femme aux longs cheveux auburn qui bavardait avec des fillettes de la troupe de danse.

— C'est elle, Catherine.

Il me jeta un regard.

— Elle n'a rien de son père, n'est-ce pas ? Tu as vu la couleur de ses yeux ?

Je souris.

— On dirait qu'ils sont verts…

— Aussi verts que l'Irlande… Et attends de l'entendre chanter. Elle aurait pu tirer des larmes à ce salopard de Cromwell.

— On dit que la chorale est excellente.

— Et comment ! Il y a des gens de la Nouvelle-Écosse et même de l'Île-du-Prince-Édouard pour le spectacle de la Saint-Patrick. Il faudra que tu viennes voir ça…

— Et qu'est-ce qu'elle fait ?

— Tu parles de Catherine ? dit-il en me jetant un regard de côté.

J'acquiesçai.

— Elle travaille à Val-du-Sault, à l'école, travailleuse sociale ou quelque chose du genre.

Je pensai à ma visite à cette école.

— Il y a beaucoup de gens de la base qui viennent au *Finnegan's* ? demandai-je soudainement à Pat O'Sullivan.

— De temps en temps. Mais pas les jeunes, surtout des officiers plus âgés.

— Vous connaissez un certain Sénécal ?

Il fit signe que non. Mais après un moment, il m'expliqua que le journal local avait fait un article au sujet d'un historien du collège militaire qui portait ce nom. Il se passionnait pour l'histoire de soldats canadiens qui avaient été faits prisonniers après le débarquement de Normandie et qui avaient été exécutés sauvagement par des SS.

— Il a collaboré à un livre sur le sujet, si je me souviens bien. Je crois qu'un des membres de sa famille était du nombre. Alors, il a fouillé l'affaire… conclut-il.

Il se tourna.

— Ils vont manquer le début.

En effet, Maureen O'Mara avait pris la parole pour expliquer le déroulement du spectacle. Une véritable acclamation suivit la présentation de la troupe de danse. Au son d'une musique traditionnelle endiablée, les fillettes enchaînèrent les numéros avec un aplomb étonnant. Pat me donnait des coups de coude sans arrêt, le regard admiratif.

Puis, après un tonnerre d'applaudissements, Maureen présenta la chorale à laquelle elle se joignit aussitôt. Elles chantèrent d'abord quelques chansons de Noël avant de s'attaquer à un répertoire typiquement irlandais. Certaines chansons d'exil tirèrent effectivement des larmes à des spectateurs. Dans l'assistance, plusieurs connaissaient toutes les paroles et formaient un chœur impromptu. Des airs me paraissaient étrangement familiers, comme s'ils avaient subsisté dans un recoin de la mémoire des Griffin de génération en génération. Je songeai que des racines communes me liaient à ces descendants d'Irlandais, que sans doute nous avions des ancêtres communs. Étrange que le destin m'ait conduit ici…

Pat O'Sullivan me donna un nouveau coup de coude lorsque Catherine Connor se détacha du groupe pour avancer vers le micro. *A capella*, elle commença à chanter en gaélique d'une voix à la grâce aérienne. Je ne comprenais pas un mot, bien sûr, mais on aurait dit de l'émotion à l'état pur. Pas un son ne sortait de la foule, et je pus remarquer à quel point l'acoustique était bonne dans cette église. Elle termina la chanson et il y eut un instant de silence, comme si toute l'assistance espérait qu'elle continue.

— Bonne année à tous ! *Ath bhliain faoi mhaise !* lança-t-elle en souriant, déclenchant de nouveau les applaudissements.

Les autres femmes de la chorale la rejoignirent. Il y eut un rappel pour lequel la chorale interpréta une chanson qui jeta l'euphorie dans l'assistance, qui se leva d'un bloc. Pat me dit à l'oreille qu'il s'agissait de la chanson fétiche de Killarney, ce que j'avais deviné. On tapait des mains et des pieds avec entrain en chantant les paroles de cette chanson qui retentissait dans l'église comme un hymne à la vie, et je me sentais un peu idiot, immobile au milieu de cette allégresse, comme un étranger désemparé. Réalisant soudain que je n'avais pas quitté cette femme des yeux depuis sa prestation, je détournai le regard, un peu honteusement.

À ma gauche, je détaillai les tableaux représentant la Passion du Christ. Cela me rappela ma visite au calvaire, sur la montagne, et la raison de ma présence en ces lieux. Je pensais à cet ange qui pointait le ciel, dans le jardin de Gethsémani, songeant au caractère lugubre de ce geste qui semblait prophétiser la chute du prêtre, lorsque le nombre en chiffres romains au bas du tableau le plus près de moi attira mon attention. Alors qu'une nouvelle salve d'applaudissements retentissait dans l'église, je compris avec stupéfaction le sens du graffiti : le douzième tableau du chemin de croix était celui de la mort.

13

Le *Finnegan's* avait été envahi par les membres de la chorale et leurs proches. J'y étais allé aussi, traîné par Maureen O'Mara. Les chants reprirent et les pichets de bière s'accumulèrent sur les tables. Après un moment, on tenta de m'intégrer à une espèce de danse folklorique. Ma maladresse plongea Dan Connor dans l'hilarité et sa femme vint à mon secours.

— Il faut pardonner ses mauvaises manières d'Irlandais, me dit-elle alors que nous prenions place à une table.

J'avais pu l'observer un peu : c'était une femme simple et chaleureuse, qui posait sur son mari un regard à la fois amusé et indulgent lorsqu'il se livrait à ses débordements. Parfois, à la dérobée, Dan lui jetait un coup d'œil qui trahissait la complicité qui les unissait. Je me demandai si c'était le genre de couple que nous serions devenus, Maude et moi, en vieillissant.

— Tu as aimé le spectacle ? me demanda madame Connor en se penchant au-dessus de la table pour que je l'entende malgré le bruit.

Je fis signe que oui en levant le pouce. Elle me sourit d'une manière qui me rappela ma grand-mère.

— Tu retourneras dans ta famille pour Noël ? me demanda-t-elle, comme si elle lisait dans mes pensées.

— Non, répondis-je.

Elle me jeta un regard incrédule.

— J'espère que ce ne sont pas les dominicains qui t'obligent à rester ici ?

— Je n'ai pas trop le cœur aux fêtes familiales, expliquai-je en profitant d'une accalmie.

Elle secoua la tête.

— Tu vas rester dans cet horrible motel pendant les Fêtes ?

— Mais il est très bien. Il me rappelle notre premier appartement.

Je vis dans son regard que cette allusion à mon ancienne vie la troublait.

— Ce que tu vis là est terrible, dit-elle.

Personne n'avait abordé la chose aussi directement et avec autant de franchise. Je ne dis rien. Elle me tapota la main et ses yeux se voilèrent légèrement. Je détournai le regard. Catherine Connor s'était avancée près des musiciens ; le bar était soudainement devenu silencieux. La musique commença et elle chanta encore une fois en gaélique, mais cette fois avec une sorte de violence joyeuse dans la voix. Ses yeux brillaient et sa chevelure sombre bougeait au rythme des mots qui semblaient jaillir de sa gorge.

— On dirait un chant guerrier, dis-je à madame Connor.

Elle acquiesça.

— C'est un chant en l'honneur de Grace O'Malley, une noble irlandaise qui dirigeait une flotte de navires. Mais je ne pourrais pas le traduire : il faudrait demander à la mère de Daniel.

Dès que la musique arrêta, Dan alla embrasser sa fille, et sa femme se leva pour les rejoindre. Jamais je n'avais entendu quelqu'un chanter comme cette fille et, à en juger par le silence respectueux qui s'était installé dès qu'elle s'était avancée, je n'étais pas le seul à le penser.

Puis, la danse reprit. Après un moment je vis surgir Pat O'Sullivan au bras de Catherine Connor.

— Ce brave garçon a été subjugué par ton tour de chant à l'église, Catherine, et à en juger par son air, tu l'as achevé avec *Òro, Sé Do Bheatha 'Bhaile*, dit-il en me pointant du doigt.

— Ce qui veut dire ? lui demandai-je en m'efforçant de paraître à l'aise.

— Salut, bienvenue à la maison, me répondit Catherine en français.

— Laisse ces enfants tranquilles, vieil ivrogne, cria Dan Connor à l'endroit de Pat.

Catherine posa sur moi ses yeux verts en levant les sourcils avec un petit sourire énigmatique.

— C'est vrai que tu as aimé ? dit-elle.

Je fis signe que oui.

— Même si je n'ai rien compris, précisai-je.

— La musique est universelle, dit-elle en s'asseyant.

— Les chansons irlandaises sont plutôt tristes : il y a souvent quelqu'un de mort ou de disparu, on dirait.

— C'est ce qui fait leur beauté, je crois. Elles sont à l'image de la vie. Et de l'histoire du pays.

J'avais l'impression d'entendre son père quand il parlait de l'Irlande.

—Je crois que ça tient plutôt au fait qu'elles nous touchent par la forme et le fond, dis-je. J'ai encore un peu de mal à voir de la beauté dans la tristesse.

— Ce qui est beau, c'est de voir l'attachement qui peut unir les êtres, même après…

Elle interrompit sa phrase. Je compris qu'on lui avait parlé de moi.

— Même après la mort, dis-je.

— Je suis désolée.

— Il y a cette chanson à propos d'une femme qui attend son mari disparu lors d'un voyage d'exploration et qui passe des années à le chercher…

— *Lord Franklin*…

— Eh bien ! j'envie cette femme.

— Parce qu'il lui reste de l'espoir ?

Je fis signe que oui, un peu surpris qu'elle ait compris immédiatement où je voulais en venir.

— Peut-être l'espoir est-il ailleurs… dit-elle, le regard dans le vide.

J'eus l'impression qu'elle pensait à sa propre situation. Elle dut sentir mon malaise, car elle changea de sujet et me questionna sur mon travail au collège. J'appris qu'elle était effectivement psychoéducatrice dans l'école que j'avais visitée et nous échangeâmes quelques anecdotes à propos de nos études universitaires. Elle avait le même don que son père pour raconter. La conversation prit fin soudainement quand une femme vint lui demander de se joindre aux autres membres de la chorale pour une chanson. Elle se leva et me salua d'un geste de la main en souriant. Je lui rendis son salut, mais elle avait déjà tourné le dos.

L'action se déplaça vers le fond du bar, où s'étaient installés les musiciens et les membres de la chorale. Dan Connor s'empara du micro et annonça en le pointant vers moi que cette chanson était dédiée à la partie irlandaise de Philippe Griffin. L'assistance se tourna vers moi et je sentis le sang me monter au visage.

J'éclatai de rire lorsque je réalisai qu'il s'agissait de la chanson de Molly Malone. Les deux vieux complices me regardaient en se tapant sur les cuisses et on m'apporta une chope de bière brune. Puis, les musiciens y allèrent d'une musique au rythme endiablé et on déplaça des tables pour former une piste de danse.

Je me retrouvais un peu en retrait avec le sentiment dérangeant d'être un imposteur, comme si toute cette joie ne pouvait que m'être étrangère. Je restai là un moment à regarder s'amuser ces gens que je connaissais à peine, puis je partis en douce.

14

Le dimanche, les familles remplaçaient
la faune habituelle qui envahissait le *Molly
Malone* à l'heure du déjeuner, seul repas à
peu près comestible qu'offrait ce restaurant.
Je reconnus plusieurs visages entrevus la
veille lors du spectacle ; je me surpris à espérer ne croiser personne du groupe qui s'était
rendu au *Finnegan's*. J'étais un peu honteux
d'avoir quitté les lieux aussi subitement, sans
même saluer les hôtes.

Avant de revenir au motel, j'étais passé
par le presbytère. Sur un coup de tête, j'avais
décidé d'envoyer un courriel à ce Cuchulainn. Je me demandais maintenant si c'était
une bonne idée, mais je tenais à lui faire savoir
que j'avais compris : l'heure des trois corneilles était celle de Morrigan, déesse de la
mort, et le nombre douze en chiffres romains
pouvait référer à la fois à la dernière heure
de l'horloge et au douzième tableau de la Passion du Christ, celui de la mort. Je m'étais
gardé de faire allusion à ce soupçon qui s'imposait avec de plus en plus de force : le lien
qui unissait ces morts en apparence acci-

dentelles était les photos que le recteur avait en sa possession. Comme si quelqu'un avait décidé d'éliminer ces hommes parce qu'ils faisaient partie du groupe le plus méprisable de la société. J'étais presque persuadé que John Arseneault était impliqué dans l'affaire d'une façon quelconque. Après tout, il avait fouillé le presbytère et récupéré l'ordinateur donné au prêtre par la famille du pharmacien, avec lequel il avait fondé ce camp pour les jeunes. Bien des liens reliaient donc ces trois hommes.

Je remarquai qu'un couple me jetait de fréquents coups d'œil. Maureen m'avait dit la veille que les gens de Killarney l'interrogeaient régulièrement à mon sujet et qu'elle leur disait que j'effectuais des recherches historiques pour les dominicains. Cette femme m'était vraiment d'un précieux secours. Je savais qu'elle ne me disait pas tout, mais je sentais bien qu'elle s'efforçait de me venir en aide.

Comme j'allais me lever pour aller payer à la caisse, un homme en tenue de pompier entra, visiblement exténué, et commanda des cafés. Au comptoir, un client le salua en anglais et lui demanda ce qui s'était passé.

— Un chalet a brûlé au Jésuite, dit-il en donnant de la voix pour qu'on l'entende.

— Au Jésuite ? répéta son interlocuteur.

Le pompier acquiesça, l'air grave.

— Perte totale, décréta-t-il.

Je devinai qu'il s'agissait d'un pompier volontaire et qu'il allait probablement se rendre dans tous les commerces de la ville dans cette tenue avant de rentrer chez lui.

— Le chalet de quelqu'un qu'on connaît ? demanda l'homme.

— Celui de Raymond Bérubé.

— Tu veux rire ! Il était presque neuf… Bérubé est au courant ?

— Je ne peux pas parler, mais il y avait quelqu'un en dedans, dit le pompier en recevant sa commande. On a trouvé un corps calciné.

L'homme le dévisagea, bouche bée. Je devinai que la nouvelle allait faire le tour de Killarney et qu'en un rien de temps, tous les détails seraient connus, sans que personne n'ait à se reprocher d'avoir trop parlé. Donner assez de détails pour bien montrer qu'on était au courant sans trop en dire pour éviter d'être mal perçu et laisser à son interlocuteur le soin de tirer les conclusions évidentes était un art pratiqué à large échelle dans ce genre d'endroit.

Une serveuse s'affairait tout près de moi sans détourner le regard, mais je devinai à sa posture rigide qu'elle ne manquait pas un mot de la conversation. Je décidai de rester encore un peu. Un autre homme était mort à Killarney dans ce qu'il était convenu d'appeler des circonstances tragiques et cela défiait toutes les probabilités statistiques. Quand le pompier quitta les lieux, le niveau sonore monta presque immédiatement, car les clients s'adressaient la parole d'une table à l'autre. En quelques minutes, j'appris que l'homme était divorcé, vivait seul depuis des années et possédait un club vidéo. Je me rappelai avoir aperçu ce commerce : il était tout près du *Finnegan's*. En observant les réactions, je devinai également que l'homme n'était pas particulièrement apprécié dans la communauté : sa mort soulevait la curiosité mais aucune forme de sympathie. En fait, on semblait davantage se désoler de la perte du chalet. Après un moment, l'animation se calma et le ton des conversations baissa considérablement : on spéculait sans doute sur ce qui s'était passé.

Bien des promenades du dimanche allaient avoir pour destination le lac du Jésuite ce jour-là, me dis-je, en quittant le restaurant après avoir payé mon repas. Je me rappelais avoir lu le nom de ce lac sur un panneau en me rendant à Val-du-Sault. Je pensai au chalet du pharmacien. Et au graffiti. J'avais l'intuition que ce nouvel accident n'en était pas un. Plusieurs clients venaient de sortir ; je devinai à leur empressement qu'ils se rendaient à l'église. Ce devait être le premier office religieux en anglais depuis la mort du curé Lacombe et on ne voulait pas le manquer. À la campagne, la désaffection des églises n'était pas aussi marquée qu'en ville, mais il n'était tout de même pas rare de voir un célébrant desservir plusieurs paroisses. L'époque du curé implanté dans une communauté et omniprésent dans la vie paroissiale, si elle n'était pas déjà révolue, tirait bel et bien à sa fin. Je songeai aux photos du prêtre et à tous les scandales qui ébranlaient l'Église catholique : rien pour ramener les fidèles et susciter des vocations. Pourtant, le collège accueillait encore de jeunes hommes guidés par leur foi. Ils étaient certes peu nombreux, mais leur existence même avait de quoi surprendre dans cette société qui voulait se passer de Dieu.

En balayant la neige qui avait recouvert la Volkswagen, je regardais partir ces gens pour la messe en me remémorant l'ambiance à la fois ennuyante et rassurante des dimanches de mon enfance. Après le supplice de l'habillage, on retrouvait la monotonie de la messe et de ses immuables rituels. Je gardais le souvenir de l'odeur particulière des églises, cette odeur de bois et d'encens qui se mêlait à celle des fidèles, qui bien souvent avaient eu la main un peu trop forte sur le parfum. Et il y avait le goût âcre du vernis des bancs qui nous surprenait quand on y collait la bouche, la voix monocorde du prêtre qui résonnait de façon si caractéristique, la communion qui nous permettait enfin de bouger un peu et qui annonçait que la messe tirait à sa fin, et cette phrase salvatrice : « *Allez dans la paix du Christ* ». Alors, c'était la visite chez les grands-parents où, avec un peu de chance, nous retrouvions les cousins pour nous amuser enfin.

Coupant court aux réminiscences, je décidai de me rendre sur les lieux de cet incendie. De toute façon, la plupart des gens seraient à la messe. Tant pis si on remarquait ma présence : il fallait que je bouge. Je pris la route en m'efforçant de passer en revue ce que j'avais pu apprendre depuis mon arrivée à Killarney. Les messages, les graffitis, tout me donnait l'impression de marcher dans les pas d'un autre. Étrangement, j'avais le sentiment d'être en quelque sorte attendu. Si ces accidents n'en étaient pas et que je communiquais véritablement avec celui qui les avait causés, comment ne pas relever ce paradoxe : quelqu'un commettrait des crimes en apparence parfaits, mais laisserait en même temps des traces pour qu'on le découvre ? Peut-être était-ce simplement cet irrésistible besoin de parler qui amenait certains criminels à se trahir, par vanité ou par stupidité, sauf que je ne croyais pas avoir affaire à quelqu'un de stupide.

Au sortir du village, je croisai un camion de pompier. Le long de la route étroite et sinueuse qui menait à Val-du-Sault, les arbres étaient chargés de neige. Le chemin qui menait au lac du Jésuite grimpait dans les collines. Si ce n'avait été des traces laissées par le passage de nombreux véhicules depuis quelques heures, j'aurais hésité à m'y hasarder en hiver avec une petite voiture. Régulièrement, je devais rétrograder pour franchir des passages abrupts. La forêt était assez dense, sauf aux endroits où une étendue de neige percée de joncs trahissait la présence d'un étang gelé.

Après quelques kilomètres de route, je croisai une large piste de motoneige balisée. Un petit panneau y indiquait la proximité de Val-du-Sault. Cela confirmait ce que j'avais remarqué en observant une carte de la région affichée à la réception du motel : les deux villages étaient plus près qu'il n'y paraissait. En raison du relief accidenté de la région, la route de la base militaire représentait un long détour.

L'odeur de l'incendie s'infiltra dans la voiture avant même que j'arrive près du lac. Je m'arrêtai un moment devant le panneau d'un promoteur qui indiquait les nombreux emplacements toujours disponibles autour du lac du Jésuite. Le développement semblait assez récent et, à en juger par le prix des terrains, visait assurément une clientèle bien nantie. Ce n'était certainement pas son petit commerce de location de films qui avait permis à cet homme de s'établir ici. Mais peut-être possédait-il d'autres entreprises.

Je m'engageai sur le chemin qui faisait le tour du lac. Presque aussitôt, je croisai une voiture de police dont le conducteur ne devait pas avoir plus de vingt et un ans. Il me jeta un long regard en ralentissant légèrement, puis parut se raviser et continua sa route. Il avait sans doute appris à l'école que les pyromanes revenaient souvent sur les lieux de leur méfait. J'aperçus de la fumée au-dessus de la cime des arbres, mais constatai aussitôt qu'elle provenait de la cheminée d'un luxueux chalet devant lequel était garé un Cherokee. Le long du chemin, de petits écriteaux portaient le numéro des terrains vacants et en indiquaient la superficie. J'aperçus d'autres chalets entre les arbres, mais c'est à peine si je pouvais entrevoir la surface blanche du lac en contrebas : il devait se trouver à au moins cinquante mètres du chemin.

Soudainement, je vis apparaître une ambulance dans une courbe et je me rangeai pour la laisser passer, ce qui me permit d'apercevoir d'autres véhicules garés en bordure du chemin. J'entrevis les restes calcinés du chalet. Plusieurs hommes s'affairaient sur le terrain. Je reconnus la voiture marron de John Arseneault.

Difficile de faire mine de passer par là tout bonnement. Je me garai devant un de ces écriteaux, pris un carnet et un crayon dans le coffre à gants et sortis de la voiture. Je notai les informations sans regarder du côté du chalet incendié. Presque immédiatement, j'aperçus du coin de l'œil une silhouette massive avancer dans ma direction, alors je me mis à détailler le terrain en revenant fréquemment au carnet, feignant la plus grande concentration.

— Voilà qu'on s'intéresse à l'immobilier…

Je reconnus aussitôt la voix de John Arseneault. Je me tournai vers lui. Il me dévisageait de ses yeux pâles et son sourire factice avait quelque chose de vaguement menaçant.

— Un collègue m'a demandé de jeter un coup d'œil sur les terrains… C'est un chalet qui a brûlé ?

Il répondit de façon inintelligible en observant les ruines.

— J'ai croisé une ambulance : des victimes ? demandai-je.

Il se tourna vers moi et me jeta un regard mauvais.

— Il semble bien que oui. Un autre qui va manquer la messe du père Lemieux.

Je compris l'allusion.

— Je suis athée, vous savez, précisai-je.

— Vraiment ? Les pères ne savent vraiment plus vers qui se tourner, dit-il en ricanant.

Je ne dis rien et rangeai mon carnet dans la poche de mon manteau.

— Votre communauté est vraiment éprouvée par les accidents, dis-je sur le ton de la conversation en avançant vers les lieux du sinistre. J'ai appris pour ce pharmacien qui est mort asphyxié : c'est terrible.

L'inspecteur cracha dans la neige et m'emboîta le pas. Je lui jetai un regard de côté. Il serrait la mâchoire, l'air furieux. Nos regards se croisèrent un instant.

— Là, ce n'est peut-être pas un accident, dit-il avec une expression indéfinissable. Il va falloir enquêter... Tu veux te joindre à nous ?

Je souris, comme s'il s'agissait d'une aimable plaisanterie. Je m'arrêtai devant les ruines. Des hommes regardaient à l'intérieur d'une Ford noire garée tout près. L'un deux s'était appuyé contre une vitre. Arseneault s'avança pour l'enguirlander en anglais. J'en profitai pour détailler les lieux en me demandant où les pompiers avaient trouvé l'eau pour arroser l'incendie. Sans doute avaient-ils utilisé un camion muni d'une citerne. Tout autour de ce qui restait du chalet, la neige était maculée et il flottait dans l'air une odeur de cendres moites particulièrement désagréable. Aucune trace de graffiti. Le terrain avait été davantage déboisé que les autres et je pouvais voir le lac, plus loin. Quelque chose attira mon attention. Je m'avançai en prenant soin de m'éloigner un peu du bâtiment. J'entendis Arseneault demander que la voiture soit remorquée à Killarney.

Je grimpai sur un rocher pour distinguer ce qui clochait du côté du lac. À quelques mètres de la berge, des troncs d'arbres formaient des lignes sombres assez apparentes malgré la neige qui les recouvrait. Ces troncs étaient trop loin de la berge pour être tombés là naturellement. Et leur disposition n'avait rien de naturel : les deux de gauche se croisaient pour former un X et les deux autres étaient côte à côte, perpendiculaires à la berge. Ces troncs d'arbres formaient le nombre douze en chiffres romains.

Derrière moi, Arseneault s'était remis à vociférer. Je compris bientôt qu'il s'adressait à moi. Il me reprochait d'avoir laissé des traces de pas dans la neige.

— Il va y avoir une enquête ici, nom de Dieu ! Qu'est-ce que tu penses ? Ce n'est pas le temps d'admirer le paysage.

— Désolé, dis-je en descendant du rocher. Je vous laisse à votre travail.

M'efforçant de cacher mon trouble, je fis quelques pas. Je croisai de nouveau son regard. Il semblait furieux, mais n'avait apparemment pas remarqué que quelque chose avait éveillé mon intérêt.

Plus tard, sur le chemin du retour, j'allais me rappeler son regard et comprendre que derrière cette colère qui ne semblait pas le quitter il y avait autre chose, et que cette chose était la peur. Cet homme était aux abois.

15

Je venais d'éteindre l'ordinateur du presbytère lorsque j'entendis quelqu'un entrer.
Un vieil ecclésiastique au visage poupin surgit derrière moi en secouant son chapeau. Il
avait commencé à neiger.

— Je crains d'être trop vieux pour tout
cela, dit-il en enlevant son manteau.

— L'hiver ?

Il éclata de rire.

— La messe en anglais. J'ai dû faire d'af-
freuses erreurs, à voir la mine consternée des
paroissiens. Vous y étiez ?

Je fis signe que non, un peu gêné. Il leva
la main en souriant.

— Je vous ai vu au collège, n'est-ce pas ?
Vous êtes le jeune professeur qui secouez un
peu la poussière qui s'est accumulée trop
longtemps sur notre vénérable institution...

— Je n'avais pas l'impression de...

— C'est très bien ainsi, me coupa-t-il.
Laissons se lamenter les esprits chagrins. J'ai
parfois l'impression que nous sommes tous
complètement à côté de la réalité.

Je me gardai de répondre. Il observa les lieux un moment et secoua la tête.

— Terrible ce qui est arrivé au père Lacombe…

J'acquiesçai.

— Les paroissiens ont-ils tant besoin de soutien moral pour qu'on leur envoie notre psychologue ? demanda-t-il en posant sur moi un regard pénétrant.

— D'après ce que j'ai pu observer jusqu'à maintenant, ils avaient surtout hâte d'avoir un prêtre et de retrouver leur église, répondis-je.

— Vous, les psychologues, vous êtes un peu les nouveaux prêtres, dit-il sans animosité. La consultation a remplacé la confession.

— J'ai fermé mon confessionnal, dis-je en riant. Je n'avais pas vraiment ce qu'il fallait pour la relation d'aide.

Il m'observa pendant quelques secondes. Je venais de lui révéler que je n'étais pas ici pour soutenir qui que ce soit.

— Dommage, dit-il. Tant de gens ont besoin d'aide, même parmi les plus méritants.

J'eus l'impression qu'il faisait allusion au père Lacombe.

— Que vont devenir les pêcheurs ? C'est bien ce que disait saint Dominique ?

Il sourit.

— On m'avait bien dit que notre département de philosophie s'était enrichi d'un bel esprit. Vous vous intéressez à l'éthique, n'est-ce pas ?

Je fis signe que oui.

— L'éthique nous pose de très intéressantes questions… À chacun d'y répondre à sa façon. Bon, je monte m'étendre un peu et songer à mes vieux péchés. Le sacristain m'a dit que je trouverais là-haut un matelas convenable…

Il s'éloigna lentement vers l'escalier, les épaules voûtées. Je ne me rappelais pas avoir aperçu cet homme au collège. Mais plusieurs étaient taillés sur le même modèle. Je songeai à notre conversation. Beaucoup de ces hommes étaient de brillants esprits, même s'ils semblaient issus d'une époque révolue. Difficile de savoir ce qu'ils pensaient vraiment : ils avaient tous en commun cette façon de mesurer leurs paroles et d'esquiver habilement toute question à laquelle ils ne voulaient pas répondre. Et de vous cuisiner sans avoir l'air d'y toucher. Il était clair que le père Lemieux se questionnait sur les véritables raisons de ma présence ici. J'aurais juré qu'il avait un doute au sujet de son collègue décédé.

Je me tournai vers l'ordinateur : aucune réponse de mon interlocuteur. L'image des troncs d'arbres sur le lac s'imposa à mon esprit. Cet incendie, j'en étais convaincu, n'était pas un accident. Et j'avais la confirmation que le nombre douze constituait une sorte d'avertissement : ces troncs avaient été placés là avant que le chalet ne s'enflamme. Un homme était mort brûlé, un autre était tombé dans le vide et un premier avait été asphyxié. Je me demandai quelles seraient les conclusions de l'enquête cette fois. La police locale n'aurait sans doute d'autre choix que de faire appel à des spécialistes de la ville pour établir les causes du sinistre.

J'entendis les pas traînants du père Lemieux à l'étage. Il était temps de partir. J'enfilai mon manteau et sortis. De gros flocons tombaient en ordre de bataille dans une lumière quasi crépusculaire. Je levai les yeux au ciel et je les sentis fondre sur mon visage. Les derniers paroissiens devaient avoir quitté l'église depuis un bout de temps. Comme entraîné par le souvenir de l'ambiance joyeuse de la veille, je décidai de m'y rendre quelques instants.

L'odeur m'assaillit dès mon entrée : on avait allumé des lampions. En avançant vers la statue de saint Patrick, je remarquai qu'effectivement des dizaines de lampions scintillaient. Toutes les traces du récital de la veille avaient disparu, laissant la place aux décorations de Noël.

— Il nous manque le p'tit Jésus.

La voix avait résonné dans le silence. Je reconnus l'élocution traînante de Maurice Dubois. Il apparut derrière l'autel, ses longs bras cernant un panneau formé de vieilles planches grisâtres.

— Pour la crèche vivante, précisa-t-il. Le bébé des Keane a les oreillons, ou quelque chose du genre.

— Je ne crois pas répondre aux exigences.

— Non, dommage. Ils vont sûrement prendre une des jumelles Kerrigan, s'ils réussissent à l'empêcher de pleurer.

— Une fille ?

Il déposa le panneau et haussa les épaules.

— À cet âge-là…

Je souris. Il n'avait pas tort.

— Alors, le père Lemieux s'est bien débrouillé ? demandai-je.

— Il n'y a pas eu de plaintes… En fait, tout le monde avait hâte d'aller faire un tour au lac.

— À cause du feu ?

Il acquiesça.

— Vous connaissiez le propriétaire de ce chalet ? Il paraît qu'il était à l'intérieur.

— Bérubé ? C'est pas une grosse perte…

— On m'a dit qu'il possédait le club vidéo.

Il fit signe que oui.

— Viens-tu m'aider à chercher le grand panneau ? me demanda-t-il en partant sans attendre ma réponse.

Le panneau était dans une camionnette stationnée à côté de l'église, avec ce qui devait constituer les autres cloisons de la crèche. Je l'aidai à le porter à l'intérieur en empruntant la porte de côté.

— Il avait failli le perdre, son club vidéo, avec ses niaiseries, dit-il pendant que nous posions le panneau par terre.

— Quelles niaiseries ?

— Il avait des cassettes avec des enfants…

Il fit une grimace de dégoût. Mes pensées se bousculèrent.

— Vous voulez dire de la pornographie juvénile ? lançai-je presque brusquement.

— C'est en plein ça, dit-il en me regardant, l'air un peu perplexe. Il y a eu un vol dans son magasin – des jeunes de Val-du-Sault. Les parents s'en sont rendu compte et ils ont trouvé ça dans le lot.

— Il a été arrêté pour ça ?

— Oui. Il a dit que ça s'était rendu là par erreur, mais même sa femme l'a pas cru. Il s'en est tiré avec un sursis, mais elle est partie.

— Est-ce qu'il en vendait ?

— Sûrement pas à du monde d'ici, en tout cas.

Il avait l'air tout à fait sincère des gens de la campagne qui ne peuvent imaginer que les malheurs qu'ils associent aux grandes villes puissent un jour les frapper.

— Et on lui a permis de garder son commerce ?

— Oui, mais il était surveillé de près : j'aurais pas aimé être dans ses culottes. Le lieutenant avait tenu à y voir personnellement.

— Le lieutenant ?

— Tu le connais : Arseneault.

Le nom parut résonner dans l'église. Je tentai de cacher ma surprise en détournant le regard. J'observai un instant les tableaux de la Passion du Christ. Le vers me revint à l'esprit : *Per quam solvuntur peccata* / Par qui sont remis les péchés. Un autre pécheur avait été retiré de la circulation. Je repensai au regard de John Arseneault. Si mes déductions étaient justes, la peur que j'avais pu déceler dans son regard était justifiée.

16

Après m'être rendu chez moi pour récupérer mon courrier et prendre quelques effets personnels, j'étais de retour à Killarney. Je me rendis tout de suite au presbytère, sans même déposer mes affaires au motel. J'espérais un peu y rencontrer quelqu'un, mais l'endroit semblait désert. Je montai à l'étage : il ne subsistait nulle trace du passage du père Lemieux, mais une odeur de produits d'entretien flottait dans l'air. Madame Dupuis devait être passée plus tôt. Je ne jetai qu'un bref coup d'œil au bureau du père Lacombe et redescendis.

J'ouvris l'ordinateur et vis bientôt apparaître la photo de la troupe des jeunes danseuses. La frimousse espiègle de la petite-fille de Maureen O'Mara me fit sourire. Je cliquai sur l'icône du courrier. Les sons cacophoniques du modem téléphonique retentirent dans le silence et deux nouveaux messages apparurent : un de l'évêché et un autre signé *Arawn*, mais qui émanait du même serveur de messagerie que les précédents. Le mes-

sage avait été reçu la veille, en fin de soirée.
Je lus le texte :

Je suis comblé, distingué lecteur.
Je n'en espérais pas tant.
Certaines choses doivent être accomplies,
vous me comprendrez.
Pour l'heure, il n'en manque qu'un seul
et tout aura été dit.
Mais écoutez les cris des grues et restez
dans l'ombre.

J'avais évidemment affaire au même interlocuteur. Et l'emploi du masculin dans la première phrase me confirmait qu'il s'agissait bien d'un homme. Mais pourquoi avait-il changé de nom ? Après un moment de réflexion, je décidai d'envoyer un courriel à l'adresse de Cuchulainn en lui posant cette question. Je relus son message attentivement. Implicitement, l'auteur reconnaissait que j'avais vu juste à propos de la signification du nombre douze. Il était clair qu'il faisait allusion à la mort de ces hommes. Il disait qu'il n'en manquait qu'un. Le visage angoissé de John Arseneault me revint en mémoire. Je songeais au sens énigmatique de la dernière phrase lorsqu'un nouveau message apparut : le serveur m'indiquait que mon message avait été expédié à une adresse inexistante. Pour une raison quelconque, il avait sans doute jugé plus prudent de faire disparaître Cuchulainn. Je décidai d'agir de même et effaçai le nouveau message après l'avoir imprimé, ainsi que l'historique et tous les fichiers temporaires.

Je décidai d'utiliser Internet pour voir si je pouvais trouver quelque chose à propos de ce nom : *Arawn*. Il ne m'était pas tout à fait inconnu. Sans doute était-ce encore une référence à la mythologie celtique. Je venais de taper le mot sur un moteur de recherche lorsque la porte s'ouvrit, laissant entrer une vague d'air frais : c'était Maureen O'Mara. Je retournai à la page de démarrage et la saluai avec un entrain un peu forcé.

— Bonjour, me dit-elle en français. Nous avions peur que tu sois parti de Killarney sans nous le dire à cause de nos folies d'Irlandais.

— J'étais seulement retourné à la maison pour une nuit : j'avais besoin de vêtements propres.

Elle me regarda, l'air confus. Je compris soudainement qu'elle parlait de mon départ précipité du pub.

— Oui, je m'excuse pour l'autre soir, dis-je en bafouillant un peu. Je n'ai plus trop l'habitude de ces…

— Ce n'est rien, dit-elle en balayant mes excuses d'un geste. C'est bien ce que pensait Suzanne.

Je fermai le programme de navigation pendant qu'elle retirait son manteau.

— Mais j'ai bien aimé ma soirée, dis-je. Le spectacle était incroyable. J'y ai repensé souvent…

Elle s'approcha en souriant.

— Nous mettons un temps fou à préparer tout cela… Catherine a un fameux talent, n'est-ce pas ?

J'acquiesçai.

— Elle fait la fierté de ses parents, continua-t-elle en anglais. Elle a tous les talents, cette fille. Et une vraie beauté irlandaise.

Je souris.

— J'ai cru comprendre qu'elle était séparée, ou divorcée…

— Ils venaient de se marier. Mais peu de temps après, il disait qu'il n'était pas prêt à s'établir, qu'il avait encore des choses à vivre, alors ils ont convenu de prendre un peu de distance. Dix mois plus tard, il était avec une autre et s'était acheté une maison en ville. Il paraît qu'elle attend un enfant. Dan ne le porte pas dans son cœur, inutile de le dire. Déjà qu'il n'était pas irlandais…

— Et elle ?

Elle fit une moue perplexe.

— Je ne sais pas. Elle ne se livre pas beaucoup. Et elle est aussi fière que son père, alors… Je crois que ce qui lui déplaît, c'est de retomber au point de départ, en quelque sorte. Elle n'est pas du genre à fréquenter les bars.

— À part le *Finnegan's*, dis-je.

— Mais elle a plus de chance d'y rencontrer un vieil Irlandais nostalgique qu'un jeune professionnel, dit-elle en riant.

Je me demandai si c'était une allusion, mais son visage ne trahissait rien.

— Je vous cède la place, dis-je en me levant. Vous devez avoir du travail.

— Je ne te chasse pas, j'espère…

— J'avais terminé, mentis-je. Je voulais voir si le recteur m'avait écrit, mais rien de ce côté.

— Tu n'es pas passé au *Molly Malone*, n'est-ce pas ? me demanda-t-elle avec une lueur dans le regard.

Je fis signe que non. Elle s'installa devant l'écran avec un petit sourire et n'ajouta rien. Je la saluai et sortit après avoir promis de l'aviser si je m'enfuyais de Killarney.

Je montai dans la Volkswagen et partis. J'avais raté la chance de faire ma recherche. Il y avait un petit café Internet à Val-du-Sault où je pourrais peut-être me reprendre, mais je décidai de déposer mes affaires au motel d'abord. Il y avait plus de circulation qu'à l'habitude sur la route principale : deux jours avant Noël, les gens se rendaient en ville pour leurs dernières emplettes. À la radio, un porte-parole énergique encourageait les citoyens à déposer des paniers de Noël pour les démunis à la salle paroissiale de Val-du-Sault. Ma mère aimait participer à ce genre d'activité.

Il faudrait bien que je l'appelle avant Noël. Remontrances et larmes en perspective.

Je remarquai que la tempête avait laissé plus de neige ici qu'aux abords du fleuve. Ce devait toujours être le cas, l'altitude étant plus élevée. Dans le rétroviseur, je jetai un coup d'œil à la croix sur la montagne. J'avais le goût de retourner là-haut dans l'après-midi. La vue devait être magnifique avec cette neige et j'avais besoin de bouger un peu.

Le stationnement du motel était presque désert. On repoussait toujours la neige au même endroit et un monticule commençait à se former. Je garai la voiture devant ma chambre. Je craignis un instant d'avoir laissé ma clé à la maison, mais elle était dans une poche de mon manteau. Je faillis marcher sur une enveloppe en entrant. C'était une enveloppe rouge : sans doute une carte de Noël de la direction du motel. Elle n'était pas cachetée. C'était bien une carte de Noël : un joyeux équipage sur un traîneau tiré par des chevaux. Mais ce n'était pas de la part de la direction du motel : les Connor m'invitaient chez eux pour la veille de Noël. Suzanne Connor mentionnait que les O'Sullivan seraient également présents.

Je déposai la carte sur le lit. Je venais de comprendre l'attitude de Maureen : elle était au courant de cette invitation. Je n'aurais su dire si j'étais heureux ou contrarié. La perspective de passer Noël à écouter la télé dans cette chambre hideuse ne me plaisait pas particulièrement, mais en même temps je m'étais éloigné de chez moi pour éviter les soirées de ce genre. Comme j'avais mentionné que je ne retournais pas dans ma famille pour Noël, il me serait difficile de trouver une excuse pour ne pas m'y rendre. Je regardai mes maigres bagages : je n'avais rien à me mettre. Bien sûr, je ne voyais pas trop Dan Griffin et son compère en tenue de soirée. Probable qu'ils allaient arborer des t-shirts du *Sinn Féin*. Je souris à cette idée. Au moins, avec eux, on était assuré de s'amuser. Je plaçai la carte sur le bureau en me disant que j'allais y repenser. Pour le moment, je voulais surtout me rendre à ce café Internet de Val-du-Sault.

17

La neige fraîchement tombée rendait l'ascension pénible. Aucune trace de pas dans le sentier du chemin de croix : j'étais le premier « fidèle » à me rendre là-haut depuis la tempête. Au plus fort de l'hiver, il devait être quasi impossible de se rendre au calvaire par ce sentier escarpé. Mais j'avais vu des enfants tirer leurs traîneaux sur un chemin pavé qui semblait passer de l'autre côté de la montagne. Les véhicules devaient emprunter cette route pour accéder aux antennes de télécommunication installées au sommet.

Je songeais à ma visite au café Internet de Val-du-Sault. Comme je l'avais supposé, Arawn était bel et bien un nom lié à la mythologie celtique. Je n'avais rien trouvé de très étoffé à son sujet – il n'était pas aussi connu que Cuchulainn –, mais j'avais vite compris que ce nom n'avait pas été choisi au hasard. La mythologie des Celtes, avec son foisonnement de personnages aux biographies complexes et aux destinées enchevêtrées, demeurait rébarbative pour le profane que j'étais et avec Internet on n'était jamais certain de la fiabilité de l'information, ce qui ne facilitait pas les choses. Mais en recoupant les renseignements de différentes sources, j'avais pu établir qu'Arawn était surtout un dieu associé à la mort, à la terreur et à la vengeance. Parfois désigné comme le Seigneur de l'Autre Monde, il vivait dans une île en compagnie des chiens de l'enfer, de féroces bêtes aux oreilles rouges. Et surtout, j'avais compris cette allusion aux cris des grues : elles étaient trois, et chacune lançait son avertissement à quiconque s'approchait du territoire d'Arawn : « *Défense d'approcher ! Défense d'entrer ! Passez votre chemin !* »

Il était également question d'un pacte conclu par Arawn pour changer d'identité avec son ami Pwyll, mais là je m'étais un peu perdu dans la complexité des récits. Toutefois, l'ensemble collait assez bien, même s'il y avait quelque chose de paradoxal dans ces avertissements : après tout, c'était lui qui avait envoyé le premier message au presbytère, alors que dans le dernier message, il m'enjoignait de « rester dans l'ombre ». Comme s'il avait besoin d'un témoin silencieux qui serait à même de comprendre ses motivations.

J'arrivais au plateau où on avait reproduit le jardin de Gethsémani. Poussée par le vent, une dune de neige avait à moitié enseveli la statue du Christ agenouillé. Maintenant, on ne voyait plus que la partie supérieure de la clôture où s'était empalé le père Lacombe. Qui aurait pu croire qu'un tel drame s'était joué ici, dans ce décor figé ? Je regardai la ville un moment, en bas : une petite ville de campagne bien sage, peuplée d'Irlandais attachés à leur tradition, minorité dans une minorité, à la fois inquiets de voir leurs enfants quitter Killarney et de constater que les citadins étaient en passe de transformer leur fief en banlieue. En cela ils n'étaient pas différents des gens de notre village : pour eux, tous les maux de la société étaient associés aux grandes villes, car ils étaient convaincus que le mal ne pouvait se tapir que dans l'anonymat des foules.

Pourtant, dans une de ces coquettes maisons où je voyais s'allumer les lumières de Noël se terrait peut-être un tueur qui, à en juger par le message que j'avais reçu, préparait un nouveau crime, sauf que dans le cas présent les victimes étaient peut-être également des bourreaux. Le lien qui semblait unir ces hommes n'était pas celui d'une aimable confrérie. À moins qu'Arseneault ait volontairement occulté des preuves, il y avait du génie dans ces meurtres aux allures d'accidents. Bizarrement, le tueur servait un avertissement qui pouvait difficilement passer inaperçu, mais s'efforçait ensuite de faire passer le crime pour un banal accident. Comme s'il voulait à la fois révéler sa présence et la garder secrète. Comme s'il narguait quelqu'un. Ou cherchait à le terroriser.

Je repris mon ascension en pensant à Arseneault. J'avais vraiment l'impression qu'il était la prochaine cible et qu'il le savait. À un certain moment, je m'étais demandé s'il pouvait s'être lui-même débarrassé de ces hommes pour une raison ou une autre, mais cela ne collait ni avec les messages ni avec son attitude. Et il me rappelait trop ces hommes qu'il m'était arrivé de croiser dans mon bureau ou au tribunal à une autre époque : des êtres manipulateurs, doués pour la dissimulation et le mensonge, des hommes au regard trouble dont j'avais appris à décoder les attitudes et la gestuelle, le « non verbal » dans notre jargon de psychologue. Le genre de personnes que je ne pouvais – ou ne voulais – aider…

La montée se faisait de plus en plus difficile. Mes bottes n'étaient pas assez hautes et, ayant renoncé à enlever la neige qui y entrait, j'avais maintenant les chaussettes trempées. S'il y avait bien un autre chemin qui menait là-haut, j'allais certainement l'emprunter pour redescendre. Avec la pénombre qui s'installait, la grande croix qui veillait sur Killarney s'était illuminée. Je jetai un coup d'œil en bas : les gens rentraient à la maison, heureux sans doute de voir enfin arriver Noël alors que les jours étaient si courts. Les enfants que j'avais aperçus plus tôt avec leurs traîneaux formaient un petit cortège qui cheminait lentement près du cimetière : ils rentraient à la maison pour le souper. Je me demandai quelle était la probabilité que l'un d'eux soit victime d'un pédophile. Ou soit frappé par la voiture d'un ivrogne. Je chassai ces pensées et repris ma marche. J'en étais à la neuvième station, celle où le Christ tombait pour la troisième fois.

Je décidai de faire la dernière partie du sentier au pas de course. Lorsque j'arrivai au sommet, le sang battait sourdement à mes tempes. Je me promis de faire davantage d'exercice. Pour me rendre au tombeau, il me fallut marcher dans une neige épaisse dans laquelle je faillis laisser une de mes bottes. Mais le spectacle de Killarney parée de son ambiance de Noël en valait le coup.

Dans la rue principale, je pouvais entrevoir l'enseigne verte du *Finnegan's Wake*. Cela me rappela que je devais donner une réponse aux Connor. J'avais décidé d'accepter de participer à leur réveillon et, étrangement, cette décision m'avait soulagé. Comme si je laissais un peu tomber mes défenses. Je voulais aussi connaître davantage Catherine Connor, savoir si je pouvais lui faire confiance. Il y avait cet élève qui empruntait le dictionnaire latin à l'école de Val-du-Sault. Je m'étais rappelé que la bibliothécaire avait dit qu'il était suivi par la psychoéducatrice. Elle s'était peut-être trompée au sujet de ce voyage dans l'Ouest. En tout cas, je ne pouvais négliger cette piste.

Si j'avais eu à établir le profil de celui qui, quelques semaines auparavant, s'était probablement caché tout près de l'endroit où je me trouvais à cet instant pour ensuite précipiter le prêtre dans le vide, j'aurais penché pour un homme assez jeune, à cause du style des graffitis, et, à en juger par ses messages, féru d'histoire et de littérature. Un être secret et brillant, assurément, mais dont la vanité le poussait à chercher un témoin. Et il y avait quelque chose de froid et méthodique dans ces crimes déguisés en accidents, à commencer par l'avertissement que représentait le nombre douze. *Per quam solvuntur peccata* : si je ne me trompais pas sur le péché dont il était question, il pouvait bien s'agir d'une vengeance. Arawn n'était-il pas associé à la vengeance ? Était-ce un jeune ayant déjà fréquenté le camp fondé par ces hommes ? J'aurais aimé avoir les moyens de la police pour le découvrir, mais je devais me contenter d'avancer à tâtons.

Mon mandat initial avait été outrepassé depuis longtemps. Convaincu que le recteur ne pouvait que me désapprouver, je le tenais volontairement à l'écart, tout en sachant que, tôt ou tard, il me faudrait rendre des comptes. À cause de l'implication possible de John Arseneault, l'idée m'était venue de confier tout ce que je savais à un autre corps de police, mais mes certitudes se transformaient alors en doute et je reculais. Et je n'avais aucune envie de partager ce que je savais, aucune envie de m'éloigner de Killarney. Il me fallait en apprendre davantage, approcher la vérité de plus près. Cette histoire était la mienne. Je jetai un dernier coup d'œil à la ville et entrepris de redescendre.

18

Je changeais de chemise pour la troisième fois en repensant à cette conversation avec
ma mère. Elle avait fait une ultime tentative
pour me convaincre de passer Noël en famille, puis avait éclaté en sanglots quand elle
avait compris qu'il n'y avait rien à faire. Mon
père avait pris l'appareil et, après m'avoir
demandé comment ça allait et si j'avais regar-
dé le dernier match des Canadiens, m'avait
assuré que ma mère avait beaucoup de peine.
Je lui avais fait remarquer qu'il était devenu un fin observateur et il avait éclaté de rire.
Il savait que si j'y étais allé, ma mère aurait
pleuré quand même. Ma mère pleurait toujours à Noël. Elle pleurait parce que sa famille était si rarement réunie, pleurait à la messe
de minuit parce que c'était si émouvant, pleurait pour toute la chrétienté. En me voyant
arriver seul, elle aurait pleuré à coup sûr. Ses
réserves de larmes étaient inépuisables.

Même s'il était difficile de quantifier le
chagrin, j'étais convaincu que la mort de
Maude avait davantage affecté mon père.
Comme la plupart des gens, il l'adorait, mais

son admiration était telle qu'il se transformait véritablement en gamin en sa présence, toujours à vouloir attirer son attention par quelque pitrerie. Sa mort l'avait plongé dans une tristesse muette qui s'était transformée en rage lors du procès. Lorsqu'il avait compris que l'ivrogne allait peut-être s'en tirer à bon compte, son sang irlandais était entré en ébullition et il avait tenté de s'en prendre à lui dans les couloirs du palais de justice, au plus grand plaisir de ses vieux copains, qui l'avaient encouragé au lieu de le retenir. Il avait évité la prison de justesse, mais j'étais convaincu que ce geste l'avait aidé à passer à travers tout cela. Avant de raccrocher, je lui avais finalement promis de passer à la maison avant le jour de l'An.

J'optai finalement pour la chemise la plus confortable. Tant pis pour l'élégance. Le miroir n'étant pas à la bonne hauteur, je dus me déplacer dans la chambre pour avoir une vue d'ensemble : j'avais oublié de passer chez le coiffeur et ma chemise était un peu froissée, mais je jugeai l'ensemble acceptable dans les circonstances. Après tout, madame Connor m'avait parlé de « quelque chose de simple ».

J'enfilai mon manteau et sortis en emportant la bouteille de vin que j'avais achetée juste avant la fermeture du détaillant. Elle m'avait dit d'arriver dans la soirée : le repas serait servi après la messe de minuit. Les Irlandais de Killarney semblaient fêter de la même façon que les francophones. Au *Molly Malone*, on m'avait appris que la paroisse avait eu à résoudre un problème autrement plus important que le remplacement du petit Jésus dans la crèche : le père Lemieux n'était disponible que pour la messe de vingt heures. Maureen O'Mara avait pris les choses en main et intercédé auprès de l'évêché. La chose s'était finalement arrangée : ils auraient leur messe de minuit, tout comme les francophones dont l'église, plus modeste, était située dans une autre partie de Killarney.

La température avait chuté brutalement et la Volkswagen rechigna un peu avant de démarrer. J'allumai le plafonnier pour consulter le papier sur lequel j'avais noté l'adresse : je savais que la rue Kennedy longeait la rivière, alors il me serait facile de m'y rendre. Je roulai lentement en observant les décorations de Noël : rien de bien différent des villages de ma région, hormis peut-être l'omniprésence des farfadets et une préférence marquée pour les lumières vertes.

Je rejoignis rapidement la rue Kennedy, où un père Noël ventru avançait en faisant sonner une cloche, à la plus grande joie des enfants, qui lorgnaient du côté de son énorme sac, massés derrière la fenêtre d'une résidence cossue. Je ne mis que quelques instants à trouver la maison des Connor : une robuste maison de style canadien située du côté de la rivière. Une couronne de houx aux lumières rouges décorait chacune des trois lucarnes. Je souris en apercevant un trèfle imposant qui scintillait sur un garage situé un peu en retrait : Dan Connor avait sans doute perdu une petite bataille pour que ce symbole d'identité soit ainsi relégué au second plan.

Il y avait deux voitures dans l'entrée et deux autres dans la rue : j'étais certainement le dernier arrivé. À la porte, un malaise diffus monta en moi ; je dus réprimer une envie soudaine de tourner les talons. Je sonnai. Madame Connor ouvrit la porte presque aussitôt et, toute souriante, m'invita à entrer.

— Ferme la porte avant que ce garçon s'échappe, dit Dan Connor en surgissant derrière sa femme, une bière à la main.

— Si tu ne sors pas tes blagues idiotes, lança une voix derrière lui, il devrait tenir le coup.

Je reconnus l'accent pesant de Pat O'Sullivan. Dan me serra la main en fronçant les sourcils.

— Le vieux est déjà « givré », dit-il tout bas. Quand il est soûl, il parle français avec cet accent polonais.

Sa femme lui donna un coup de coude et prit mon manteau.

— Tu n'as pas fini d'en entendre avec ces deux-là, me prévint-elle. Viens t'asseoir au salon.

Je lui tendis la bouteille de vin dans son emballage. Elle me remercia en disant que ce n'était pas nécessaire, ce qui me fit sourire : je me serais cru dans ma famille. Au salon, Dan me présenta à ceux que je ne connaissais pas : sa mère, une femme au regard vif qui devait avoir plus de quatre-vingt-dix ans, sa fille cadette, Camille, qui était le portrait de sa mère, et l'épouse de Pat O'Sullivan.

La conversation se déroulait en français, ce qui m'étonna un peu, mais madame O'Sullivan m'expliqua dans un français laborieux que, selon un curieux système imposé par la maîtresse de maison, si on assistait à la messe en anglais, il fallait parler français à la maison la veille de Noël et qu'on alternait ainsi chaque année. Elle prit soin de m'expliquer qu'ils recevaient leurs fils le lendemain et se pliaient de bonne grâce à cette tradition en se joignant aux Connor.

Dan me plaqua une bière dans la main pendant que je bavardais avec Camille. Elle étudiait la musique classique à l'université où avait enseigné Maude. C'était une jeune fille sensible et discrète, avec ce qui me parut une vision assez romantique de la vie : comme Maude, elle semblait croire que le salut du monde reposait sur les arts. Elle rêvait d'enseigner la musique et me questionna longuement sur mon expérience au collège avec une passion que je ne pouvais qu'envier. Nul doute qu'elle était faite pour cette profession qu'elle avait si hâte d'exercer. Elle avait foi en la vie et l'abordait avec cette confiance qui en était venue à me faire peur, comme si le simple fait de la manifester pouvait attirer le malheur sur une personne.

Camille me parlait des cours privés de piano qu'elle donnait à des enfants lorsque Catherine entra dans le salon avec un plateau de hors-d'œuvre, qu'elle présenta à Pat, qui se plaignait depuis un moment de n'avoir pas assez soupé. Dan plaisanta au sujet des talents culinaires de sa fille en laissant entendre qu'elle risquait de me faire fuir de nouveau, ce qui lui valut des regards réprobateurs de son épouse et de sa mère. Contrit, il invita Camille à danser une valse sur une musique de Noël.

— Ma sœur ne tient pas son talent pour la musique de son père, me dit Catherine en s'asseyant.

Pat avait interrompu son festin pour ajouter de nouvelles bûches dans le foyer, alors qu'on étouffait depuis un moment dans le salon.

— On dirait un grand *monkey*, dit-il en jetant un regard de biais vers son ami.

Catherine éclata de rire. Sa robe noire, qui contrastait avec son teint pâle et faisait ressortir ses yeux verts, lui donnait l'allure aristocratique d'une chanteuse classique. Je me demandai si elle allait chanter.

— Ces bouchées sont excellentes, dis-je.

— C'est tout ce que m'a permis de faire ma mère : la cuisine est une véritable chasse gardée ici. Pas étonnant que j'aie appris à cuisiner si tard.

— Je voulais que mes filles aillent à l'université, pas qu'elles deviennent des femmes au foyer, expliqua Suzanne Connor.

— Je ne risque plus rien, maman, nota Catherine avec une note d'amertume dans la voix qui n'échappa pas à sa mère.

— Ça signifie *Joyeux Noël* ? demandai-je après un instant de silence en pointant une banderole suspendue au-dessus du foyer où était écrit *Nollaig Shona Duit*.

— C'est bien ça, répondit madame Connor.

— Vous avez une très belle maison, lui dis-je. C'est très chaleureux.

— Surtout quand Pat s'empare du foyer, dit Catherine en riant.

Sa mère me remercia, visiblement ravie, et demanda à Catherine de me faire visiter la maison, cédant à une tradition québécoise que j'avais toujours trouvée amusante.

Catherine se leva et je la suivis.

— N'allez pas trop loin, lança Dan par-dessus l'épaule de Camille, nous allons allumer la chandelle. Et s'il cherche à s'échapper, tu cries !

— Il est impossible, dit Catherine. Je m'excuse.

— Il n'y a pas de quoi, dis-je. J'avoue que je suis parti un peu précipitamment ce soir-là.

— Je peux le comprendre. Il doit y avoir des moments où ça devient plus difficile…

J'acquiesçai, un peu surpris de sa perspicacité.

— Qu'est-ce que c'est que cette histoire de chandelle ? demandai-je en entrant dans la salle à manger.

— Une tradition irlandaise : une chandelle allumée à la fenêtre la veille de Noël signifie aux gens qu'ils sont les bienvenus. Au départ, c'était pour accueillir Marie et Joseph, je crois. D'ailleurs, la tradition veut que ce soit une fille nommée Marie qui se charge de l'allumer. Évidemment, nous portons toutes deux ce prénom, en bonnes petites catholiques, alors nous l'allumons à tour de rôle.

— Une alternance, comme pour la messe de minuit.

— C'est ça.

— Et c'est ton tour ?

Elle fit signe que non et pivota pour me désigner la salle à manger d'un geste théâtral. Je pus sentir son parfum. Je remarquai qu'elle avait relevé ses cheveux et qu'il y avait des brillants dans son chignon. Elle se tourna vers moi et je détournai le regard.

— C'est très beau, dis-je en bafouillant. On peut voir la rivière.

— Quand nous étions petites, mon père faisait une patinoire sur la rivière. Je rêvais de devenir une championne olympique.

— Vous avez toujours habité cette maison ? demandai-je.

Elle hocha la tête pensivement.

— Mon père est né à Killarney et jamais il n'en bougera.

— Et toi ?

— Je vis à Val-du-Sault depuis la séparation. Disons que c'est plus simple. Ici, tout le monde se mêle de tout, alors…

Elle prit une biscotte sur la table et continua vers une autre pièce, un antre rempli de livres d'histoire, d'affiches et d'objets liés à l'Irlande. Il y avait même un tee-shirt du *Sinn Féin* accroché au mur.

— Il le porte à la Saint-Patrick, dit-elle en voyant mon sourire. J'ai parfois l'impression qu'il est plus irlandais que n'importe quel Irlandais.

— Il est déjà allé en Irlande ?

— Il y a quatre ou cinq ans. Il ne le dit pas, mais je crois qu'il a été un peu déçu. Sa vision du pays était un peu trop folklorique, je pense : les verts pâturages, les monastères, les croix celtiques et tout le reste. Mais l'Irlande est un pays moderne. En tout cas, je suis sûre qu'il a visité un bon nombre de pubs à Dublin.

Pour nous rendre à l'étage, il nous fallut repasser par le salon. Dan dansait toujours avec sa fille sans se soucier davantage de la musique et Pat continuait d'entretenir un feu d'enfer qui avait repoussé les trois femmes à l'autre bout de la pièce, près d'un piano droit que je n'avais pas remarqué tout d'abord, sans doute parce qu'il était recouvert de bibelots de Noël.

— Pat, ta bière va finir par bouillir, lança Catherine au passage.

— Je chasse l'humidité, répondit-il, tout sourire.

— Si tu continues, c'est les invités que tu vas chasser ! dit Dan pendant que je montais l'escalier derrière Catherine.

Je ne fis que jeter un coup d'œil rapide aux chambres, mal à l'aise de m'immiscer ainsi dans l'intimité de gens que je connaissais à peine. Catherine avait continué à commenter la visite et je m'efforçai d'être attentif. Je compris que nous étions devant sa chambre. Elle m'expliquait que, même si elle ne l'utilisait qu'en de rares occasions, ses parents tenaient à la garder ainsi, ne la cédant pas aux invités.

— Mais ma mère a quand même fait disparaître mes affiches de U2, conclut-elle.

— Ton père a dû les garder quelque part. Après tout, c'est un groupe irlandais.

— C'est bien possible, dit-elle en riant. Il avait les larmes aux yeux la première fois que je lui ai fait jouer *Bloody Sunday*. Et il m'a acheté tous les disques du groupe.

— *Irish forever*…

— C'en est presque exaspérant. Mais c'est sa passion… Il est devenu une sorte de sommité dans le domaine. Des gens l'appellent même de Boston.

— Il en connaît un bout sur la mythologie celte. Il m'a aidé pour mes recherches.

Elle se tourna vers moi.

— Tu n'es pas ici pour soutenir le moral des gens ou pour des recherches historiques, n'est-ce pas ?

— Pas exactement, non, dis-je après un instant d'hésitation.

Je n'avais pas le courage de lui mentir. Pas ce soir. Pas ici, chez elle, dans la maison de son enfance où j'étais l'invité. Je fuis son regard et contemplai la couronne qui brillait à la fenêtre.

— Savais-tu que ce sont les immigrants irlandais qui ont introduit en Amérique cette coutume de fabriquer des couronnes de houx ? demanda-t-elle.

Je fis signe que non.

— Mon père dit que cette plante pousse à l'état sauvage dans les champs, là-bas.

Je sentis qu'elle tentait de chasser le malaise qui s'était installé.

— Nous avons certains doutes au sujet du père Lacombe, dis-je.

Je me surprenais moi-même à m'assimiler ainsi aux dominicains, comme si j'étais maintenant l'un des leurs. Elle réfléchit un instant en lissant une mèche de cheveux qui s'était détachée de son chignon.

— Il y avait quelque chose de trouble chez cet homme, dit-elle en ayant l'air de peser ses mots. En tout cas, il avait l'air malheureux. Maureen s'est toujours doutée de quelque chose, selon moi.

Elle fit une pause, puis ajouta :

— Mais il est bien mort accidentellement ?

— Je doute qu'il s'agisse d'un accident, dis-je. Et encore moins d'un suicide.

Elle écarquilla les yeux.

— Tu en es sûr ?

Je fis signe que oui. Je me demandais si je devais lui parler des messages, lorsque la voix de Dan Connor retentit, me faisant sursauter.

— Les jeunes, il est temps d'allumer cette chandelle !

— Je t'en reparle, dis-je tout bas.

Elle fit un signe de tête ; je compris à son regard que je n'avais pas besoin de lui demander de garder le secret. Curieusement, je me sentais soulagé de lui avoir parlé, comme si secrètement j'attendais ce moment depuis des jours. Comme si j'avais trop longtemps tout partagé avec quelqu'un pour porter seul un tel fardeau.

19

J'avais insisté pour rentrer au motel à pied, tenant bon contre la famille Connor au complet. J'étais parti peu après les O'Sullivan, vers deux heures trente du matin. Je ne mis pas de temps à constater que la nuit était effectivement glaciale. La neige crissait sous mes pas et le moindre de mes mouvements semblait donner une nouvelle prise au froid qui s'insinuait sous mes vêtements. Mais la nuit était superbe. La neige reflétait la lumière de la lune, et les ombres des arbres se déployaient comme en plein jour. Sur la montagne, la croix brillait de tous ses feux et me servait de repère, puisque j'avais emprunté des petites rues qui m'étaient inconnues, croyant peut-être à tort raccourcir mon trajet.

Je songeais à cette soirée chez les Connor. Je n'avais pas regretté un seul instant d'avoir accepté l'invitation. Il y avait des mois que je n'avais pas autant ri. Dan et Pat formaient vraiment un duo remarquable. Catherine pouvait également faire preuve d'une ironie insoupçonnée, mais je l'avais trouvée un peu tourmentée, comme si des forces contradictoires s'agitaient constamment en elle et que les lueurs dans ses yeux verts provenaient en fait du feu de ses combats intérieurs. En cela elle me ressemblait. Peut-être était-ce dû à la cohabitation d'une âme irlandaise et d'une âme québécoise dans une même personne, chacune étant tout aussi incapable de régner sans partage que de céder le pas à l'autre. Deux âmes qu'elle devait apprendre à réconcilier.

À l'église, ni elle ni moi n'étions allés communier. Nous étions restés côte à côte, silencieux, comme si nous partagions un grief commun contre Dieu. Étrangement, j'y avais trouvé un certain réconfort. À deux, peut-être pourrions-nous Lui faire comprendre à quel point ses décisions étaient iniques...

J'aperçus avec une certaine surprise la pancarte du *Molly Malone* : cette rue m'avait conduit derrière le motel, alors que je croyais devoir marcher une certaine distance dans la rue principale. En terrain découvert, le vent se faisait insistant ; j'étais content d'arriver à destination. Il y avait une porte, située juste en face de celle que j'empruntais tous les jours, qui donnait à l'arrière : j'espérais qu'elle ne soit pas verrouillée. Il n'y avait aucune voiture dans le stationnement arrière, réservé aux clients du restaurant. Étais-je le seul client du motel, la plupart des autres ayant quitté au début du congé ?

Je courus presque jusqu'à la porte. À mon grand soulagement, elle n'était pas fermée à clé et une vague de chaleur m'accueillit dans le couloir faiblement éclairé. Même l'odeur particulière du motel, un mélange de tapis bon marché, de produits d'entretien et de café refroidi, me parut accueillante. Je jetai un coup d'œil du côté de la réception, mais il n'y avait personne. Le préposé de nuit, s'il y en avait un, devait sommeiller derrière ou regarder la télé. Je me dirigeai vers ma chambre en tâtant mes poches à la recherche de la clé. Pour m'éloigner du vacarme des soirées country du restaurant, j'avais demandé de changer de chambre pour me retrouver à l'extrémité du bâtiment.

La porte s'ouvrit dès que je mis la main sur la poignée, alors que je cherchais toujours la clé. Confus, je reculai pour jeter un coup d'œil au numéro : c'était bien la chambre onze. Je poussai la porte sans faire un pas, mais tout était éteint à l'intérieur. D'une voix peu assurée, je demandai s'il y avait quelqu'un. Aucune réponse, mais je crus distinguer le son de la radio. J'avançai lentement, essayant de m'habituer à l'obscurité. Je savais que le commutateur était un peu plus loin sur ma gauche, à côté du placard. Je tâtonnais pour le trouver lorsque la porte de la salle de bain s'ouvrit brusquement. Je poussai un cri de surprise et reçus en plein front un coup qui déclencha une explosion dans ma tête. Je heurtai violemment le mur derrière moi, ce qui m'empêcha de tomber. Une silhouette indistincte avait traversé la chambre en courant vers l'autre porte. Puis, une voix masculine poussa un juron, et je compris que l'homme avait du mal à ouvrir la porte. J'en profitai pour foncer vers lui, mais trébuchai contre une chaise dont le dossier me coupa le souffle.

Lorsque je relevai la tête, la porte était ouverte et l'homme avait disparu. Je sortis à l'extérieur. J'entendis une voiture dont les pneus dérapaient. Le bruit venait de la droite, là où une étroite allée conduisait au stationnement du restaurant. Après une seconde d'hésitation, je courus dans cette direction. Dans le passage, j'aperçus les feux arrière d'une voiture qui fonçait en projetant de la neige. Je courus en espérant pouvoir l'identifier, mais elle creusait rapidement l'écart. Au bout, je savais qu'elle devrait tourner à droite, alors je me déplaçai vers le côté gauche de la voie pour améliorer mon angle de vision. Les feux s'illuminèrent lorsque le conducteur appliqua les freins avant de tourner. Je m'immobilisai, la main gauche appuyée sur le treillis métallique de la clôture. J'eus tout juste le temps de voir qu'il y

avait quelqu'un du côté passager. Et de remarquer que la voiture était de couleur sombre,
avec une antenne à l'arrière et des enjoliveurs
ronds. J'aurais parié que c'était une Caprice
marron.

20

Après avoir émergé d'un sommeil agité et peuplé de rêves troublants, je tâtai mon front endolori. Il était neuf heures. Je n'avais dormi que quelques heures. Il avait d'abord fallu que je remette de l'ordre dans la chambre, puis je m'étais étendu pour réfléchir à tout ça, après avoir appliqué un morceau de glace sur mon front pour éviter l'enflure.

J'étais à peu près certain d'avoir reconnu la voiture de John Arseneault. Ce que j'avais d'abord pris pour le son de la radio était plus vraisemblablement celui d'un émetteur récepteur. L'homme de la voiture devait faire le guet à l'avant, où je me stationnais, et mon arrivée à pied par l'arrière semblait avoir bouleversé les plans. À en juger par le juron qui lui avait échappé, mon agresseur était un francophone. Sa voix et sa démarche étaient celles d'un très jeune homme. L'acte n'était certainement pas planifié : il devait probablement sortir par la porte du couloir après avoir été averti de mon arrivée et rejoindre la voiture à l'arrière.

Un bloc-notes était tout ce qui manquait dans la chambre. Je me rappelais y avoir griffonné quelques mots à propos de la signification des graffitis et de certains messages. Toutefois, les dernières notes prises lors de ma visite au café Internet de Val-du-Sault, plus étoffées, étaient restées dans la poche intérieure de mon manteau. Fort heureusement d'ailleurs, car l'adresse de courriel de mon correspondant y apparaissait. Sur le miroir de la salle de bain, on avait commencé à tracer le nombre douze en chiffres romains. Il ne manquait que le dernier *I*. J'avais trouvé par terre un bout de papier reproduisant le graffiti : probablement une sorte d'aide-mémoire destiné à une personne peu instruite. Visiblement, on tentait de m'effrayer en me servant l'avertissement qui avait précédé la mort des trois hommes. En fait, il ne pouvait s'agir que de John Arseneault : il avait vraisemblablement vu le graffiti derrière le presbytère en s'y rendant après moi et il pouvait difficilement avoir manqué les troncs d'arbres du lac du Jésuite. Avec mes notes, il saurait maintenant que ce nombre annonçait la mort, s'il ne l'avait pas déjà compris.

J'avais décidé de ne pas porter plainte. De toute façon, Arseneault se serait sans doute arrangé pour s'occuper lui-même du dossier. Je jouais le jeu, en somme. Même les propriétaires du motel n'en sauraient rien : la serrure semblait intacte et j'avais déjà effacé le graffiti dans le miroir. L'idée m'avait effleuré d'aller plutôt m'installer au presbytère, mais ça ne changeait rien : Arseneault savait où me trouver.

Je me levai et me rendis à la salle de bain. La glace avait été utile : je n'avais guère plus qu'une ecchymose au front. Mon agresseur devait s'être servi d'une de ces lampes de poche au revêtement caoutchouté. Peut-être un petit délinquant qui devait un service à Arseneault et qui ne risquait pas de poser de questions. J'éclatai de rire : un vrai scénario de film de série B. S'il n'y avait déjà eu au moins trois morts, j'aurais pu croire à une plaisanterie de mauvais goût. Tout cela confirmait plutôt l'évidence : Arseneault, tout en accréditant la thèse des accidents, tentait désespérément de débusquer le tueur.

Je me glissai sous la douche. Il me semblait que le froid glacial de la veille s'était insinué en moi et que je n'arrivais pas à le déloger. Je pensai à l'inspecteur. Au fond, il avait deux choses à craindre : la mise au jour de ses liens avec ces hommes et l'apparition d'un nouveau graffiti qui, cette fois, lui serait destiné. S'il en doutait encore, mes notes allaient lui confirmer que je menais ma propre enquête. Je pouvais donc constituer à la fois une menace et un moyen pour lui d'en apprendre plus. Cela me plaçait dans une étrange situation. Chose certaine, je ne devais plus recevoir de messages à l'adresse du presbytère. Je regardai l'eau qui courait entre les fleurs antidérapantes collées au fond de la baignoire : la meilleure solution était d'utiliser moi aussi une adresse anonyme sur un serveur auquel je pourrais accéder de n'importe où.

À la pensée du danger que je pouvais courir en demeurant à Killarney, une sorte de joie sauvage monta en moi : je me sentais vivant comme jamais, furieusement vivant. Je savais ce que j'avais à faire : garder le contact avec mon correspondant et en apprendre davantage sur ce camp pour les jeunes. Tout portait à croire qu'il était au centre de tout ceci. Surtout si, comme je le pensais, il s'agissait bien d'actes de vengeance. Je me demandai si l'inspecteur n'était pas en fait la cible principale, la mort des autres hommes constituant à la fois une sorte de défi et une façon de le terroriser. Peut-être avait-il également reçu des messages et que le courriel du presbytère lui était en fait destiné.

Je sortis de la douche en pensant à ce poème manquant dans le recueil que j'avais consulté à l'école secondaire de Val-du-Sault. La bibliothécaire m'avait parlé d'un élève féru de latin et de philosophie, parti travailler dans l'Ouest canadien. Elle pouvait s'être trompée sur ce point. Je mis un moment à retrouver son nom : Winston Sénécal. J'allais en parler à Catherine. Après tout, j'avais déjà franchi un pas la veille. Il fallait bien que je fasse confiance à quelqu'un.

J'étais en train de m'habiller lorsqu'on cogna à la porte extérieure. Je pensai aussitôt à Arseneault et mon pouls s'accéléra. Un coup d'œil par la fenêtre me rassura : ma Volkswagen était stationnée devant la chambre. Je me rappelai avoir laissé les clés à Dan Connor. J'ouvris la porte : c'était Catherine.

— Nous te rapportons ta voiture, dit-elle en me tendant les clés.

Je saluai Camille qui était restée dans la voiture en marche. Elle me rendit mon salut en se penchant vers l'avant.

— Tu n'as pas eu de difficulté à la faire démarrer ?

— Un peu, oui. Avec ce froid...

Elle désigna l'écharpe qu'elle avait enroulée autour de son cou et qui lui couvrait une partie de la bouche.

— Remercie encore tes parents de ma part, dis-je en frissonnant. J'ai passé une très belle soirée.

Elle leva le pouce et tourna les talons.

— Nous avons besoin de main-d'œuvre au pub ce soir, lança-t-elle en s'éloignant. Alors, si tu es disponible...

Elle s'engouffra dans la Ford avant que j'aie pu répondre. Je les saluai et fermai la porte en me demandant si Catherine avait remarqué ma blessure au front.

21

Je ne m'étais pas attardé au presbytère. Conscient que je prenais un risque énorme, j'avais utilisé ma propre adresse pour envoyer un message à Arawn. Mon intention était de lui faire comprendre de ne plus utiliser l'adresse du presbytère. En lui demandant s'il était sage de se faire justice soi-même, je cherchais en même temps à vérifier mon hypothèse et à provoquer une réaction de sa part. Je courais ainsi un autre risque : celui de m'approcher de trop près malgré ses avertissements, l'amenant ainsi à couper toute communication. Mais je faisais le pari qu'il allait répondre à mon message.

Je pris une revue, la feuilletai quelques instants en m'affalant sur le lit, puis la laissai de côté. La télé ne diffusait que des dessins animés et de vieux films de Noël. Je décidai de me rendre au *Finnegan's*. Pourquoi pas, après tout ? Je pris mon manteau et sortis. Le froid semblait vouloir céder du terrain et regagner les régions polaires. Des véhicules militaires roulaient en direction du centre-ville. C'était la première fois que j'en apercevais malgré la proximité de la base. Je les suivis un moment, avant de me stationner près du pub, devant la pharmacie. Une affiche écrite à la main indiquait que le commerce était fermé pour le jour de Noël.

Je passai devant le *Finnegan's*. Il semblait y avoir un bon nombre de clients à l'intérieur et je crus apercevoir Camille avec un plateau rempli de bières. J'allais ouvrir la porte lorsqu'un coup de klaxon attira mon attention : c'était Maureen O'Mara qui m'envoyait la main, toute souriante. Je lui rendis son salut. Elle devait aller mettre la dernière main à son souper de Noël après avoir fait quelques emplettes de dernière minute. Je revis le visage enjoué de sa petite-fille qui apparaissait dès que s'allumait l'écran de l'ordinateur du presbytère et pensai aux photos que le recteur m'avait montrées : la raison de ma présence à Killarney.

J'entrai dans le pub. Les échos de conversations animées émanaient du bar. Du côté du restaurant, c'était plutôt désert. J'allais accrocher mon manteau lorsque j'aperçus John Arseneault. Il venait dans ma direction, impossible de l'éviter. Quand il s'arrêta près de moi, je compris qu'il voulait récupérer son manteau. Je m'écartai sans le regarder.

— On dirait que tu as reçu un livre en pleine face, me dit-il, si près que je pus sentir son haleine : un mélange de relents de bière et de tabac.

Je ne répondis rien, me contentant d'un sourire qui devait s'apparenter davantage à un rictus.

— On dit que tu fais des recherches historiques. Je ne savais pas que c'était si risqué, continua-t-il en enfilant son paletot.

Ses yeux pâles auraient paru presque éteints si ce n'avait été de cette lueur menaçante dans son regard. Il devait avoir bu plus qu'il n'y paraissait au premier coup d'œil. Je me demandai comment il se faisait que je n'avais pas remarqué plus tôt que cet homme était alcoolique.

— J'ai glissé sur une plaque de glace, dis-je en guise d'explication. Je me suis cogné en tombant.

— Je vais en parler au maire, rétorqua-t-il en secouant la tête de gauche à droite. Notre ville n'est plus ce qu'elle était.

Je hochai la tête.

— Mais tu n'es pas du genre à te plaindre pour si peu, hein ?

— Il suffit de regarder où on met les pieds…

— On n'est jamais trop prudent, dit-il pendant que je me dirigeais vers le bar.

— J'allais vous dire la même chose, répliquai-je en m'éloignant.

J'avais lancé la flèche du Parthe et je ne me retournai pas pour voir sa réaction.

Catherine m'intercepta dès que je mis le pied dans le bar.

— Je t'avais vu passer dehors, me dit-elle. Tu nous donnes un coup de main ? On ne sait plus où donner de la tête, ici. On a un peu perdu la main, toutes les deux.

Ses cheveux détachés étaient ébouriffés, ce qui lui donnait un air farouche.

— Et je fais quoi ?

Elle me prit le bras et m'entraîna derrière le bar. Un coup d'œil à la ronde me permit de constater que les clients étaient surtout des jeunes dans la vingtaine. À leur coupe de cheveux, je devinai que plusieurs devaient être des soldats de la base.

— *Hello !* me lança Camille en remplissant un pichet de bière.

Je lui demandai si elle tenait le coup, et elle me répondit par une mimique. Catherine me tendit un bac de plastique gris.

— Tu ramasses tout ce qui traîne sur les tables et tu ramènes tout ça derrière, m'expliqua-t-elle. Et méfie-toi de Camille, je crois qu'elle va vouloir te secourir, et elle tombe amoureuse de tous ceux qu'elle veut sauver.

Je la regardai, interdit. Elle sourit en levant les yeux au ciel.

— Elle trouve que tu as l'air triste. Mais qu'est-ce que tu t'es fait au front ?

— Je me suis cogné, dis-je. Dan n'est pas là ?

— Aucun risque, dit-elle en soupirant. C'est la tradition.

Je jetai un coup d'œil furtif du côté de Camille avant de me diriger vers les tables qui avaient été récemment désertées. Je me mis à la tâche. Cela me rappelait mes emplois d'étudiant dans les restaurants de Québec. À certaines tables où s'étaient groupés les jeunes militaires, on refusa que j'enlève les pichets de bière vides : ils les accumulaient comme des trophées témoignant de leurs aptitudes de buveurs. Parfois, on passait d'une langue à l'autre sans paraître faire la différence, mais la plupart des clients ce jour-là étaient francophones. À part les soldats, personne n'était véritablement éméché et l'ambiance dans le pub était plutôt conviviale.

Camille et Catherine agissaient avec l'aisance que seule l'expérience peut conférer : je conclus qu'elles devaient avoir passé ici de nombreuses heures à travailler pour leur père. À un certain moment, Catherine dut intervenir pour refuser l'entrée à des jeunes à qui Camille avait demandé des pièces d'identité. Ils eurent l'air médusés en la voyant. Je compris qu'il devait s'agir d'élèves de Val-du-Sault.

Nous n'avions guère le temps que pour de brefs échanges avec toute cette animation.

Vers dix-sept heures, les groupes commencèrent à se défaire, chacun retournant dans sa famille pour le souper de Noël. Le calme revint donc peu à peu et s'établit quand les militaires, constatant que la plupart des filles étaient parties, décidèrent de trouver un autre endroit pour festoyer. Je nettoyais la table qu'ils occupaient, celle avec la chanson de Molly Malone, lorsque Catherine vint s'asseoir en poussant un soupir.

— C'est l'heure de la pause, patronne ? lui demandai-je.

— Une chance que tu es venu, Philippe, me dit-elle en poussant un nouveau soupir. Je n'ai décidément plus la résistance. Il ne m'aura pas à la Saint-Patrick. Mais maintenant, ça va être plus calme.

Je m'assis également après avoir jeté un coup d'œil à la ronde. Camille bavardait avec une jeune fille assise au bar. Un autre client à l'allure déprimée regardait la partie de curling que diffusait la télé.

— C'est toujours comme ça à Noël, dit Catherine. Le bar se vide d'un coup. Ce n'est pas comme en ville : ici, presque personne ne songerait à passer le soir de Noël dans un bar.

— Mais Dan ouvre quand même ?

— C'est surtout pour la salle à manger, répondit-elle en désignant du pouce l'autre partie de l'établissement.

Nous bavardions depuis quelques minutes lorsque Camille nous apporta des verres de bière.

— Si je bois cette bière avant d'avoir avalé quelque chose, la tête va me tourner, déclara Catherine.

— Vous pouvez aller de l'autre côté, proposa Camille. Je vais monter la garde ici.

Catherine m'interrogea du regard.

— Après le repas d'hier, je pensais bien ne plus jamais avoir faim, mais ça revient tranquillement, dis-je en me levant.

— Je pense que Monique a fait son incroyable ragoût, me dit Catherine sur le ton de la confidence pendant que nous traversions de l'autre côté. Si c'est le cas, tu es partant ?

Je fis signe que oui.

— Choisis une table pendant que je jette un œil du côté de la cuisine, dit-elle en me confiant son verre.

Une serveuse rondelette m'intercepta avant que j'aie trouvé une table. Quand je lui dis que j'étais avec Catherine, son visage s'illumina et elle la chercha du regard.

— Cathy préfère les banquettes, dit-elle avec un accent prononcé. Vous serez très bien ici.

Je cherchais encore comment dissiper le malentendu lorsqu'elle s'éloigna. Elle croisa Catherine, qui s'arrêta et lui posa la main sur l'épaule pour lui chuchoter quelque chose à l'oreille. Elles se séparèrent en riant et Catherine vint s'asseoir.

— Ce sera le ragoût, dit-elle, triomphante. On trinque ?

— Aux Irlandais ! lançai-je.

— On croirait entendre mon père, dit-elle en s'esclaffant. *Erin go bragh !*

— J'aime bien quand tu chantes en gaélique, lui dis-je. C'est vraiment incroyable.

Elle sourit.

— Ma grand-mère m'a appris certaines chansons. Pour les autres, c'est plus difficile à cause de la prononciation. Mais mon père m'a rapporté des disques d'Irlande.

— Tu étais sérieuse à propos de Camille ? demandai-je après un moment de silence.

— À propos de son éventuel béguin ?

— Non, pour ce qui est de mon air triste.

Elle passa la main dans ses cheveux en me regardant.

— Ma grand-mère a dit la même chose. Et elle n'était pas au courant au sujet de…

— De Maude. Elle s'appelait Maude.

Elle hocha la tête. La serveuse arriva avec les assiettes, toute souriante.

— Je crois qu'elle pense que nous deux… dis-je après son départ.

— Quoi ? Ce n'est pas un rendez-vous ?

À voir son sourire, je compris que j'avais dû rougir.

LES HABITS DE GLACE

— Je ne sais pas pour toi, mais tout le monde pense qu'il faut absolument me trouver quelqu'un au plus tôt.

J'acquiesçai en attaquant mon repas.

— Même chose dans mon cas. Je ne compte plus les tentatives plus ou moins subtiles.

J'avais désespérément envie de changer de sujet.

— Ces jeunes ont fait toute une tête lorsqu'ils t'ont vue surgir, dis-je.

— Ils ne s'attendaient pas à ça. Les élèves ont toujours du mal à croire que l'on existe en dehors de l'école.

Je souris.

— Connais-tu le fils d'un certain Sénécal ? demandai-je après un moment de silence.

— Winston ? Bien sûr… Tu le connais ?

— Pas vraiment, non. Mais Pat m'a parlé de son père, qui enseigne au collège militaire.

Elle acquiesça.

— C'est une sorte de sommité en matière d'histoire militaire. Il a donné ce prénom à son fils parce qu'il a la même date d'anniversaire que Churchill, ça te donne une idée.

— J'ai voulu consulter un livre à votre bibliothèque, mais on m'a dit que ce Winston ne l'avait pas rendu.

— Ce serait bien son genre. Tu vas devoir attendre parce qu'il est parti à Banff. Ce ragoût est génial, non ?

Je levai le pouce.

— Je vais essayer d'en rapporter un peu chez moi, dit-elle.

Après un moment, je ramenai la conversation sur ce jeune homme. Elle m'expliqua que sa mère était morte alors qu'il était au début de l'adolescence et que son père avait des idées bien arrêtées au sujet de l'éducation. Elle me raconta qu'après l'avoir initié aux techniques de survie en forêt, il l'avait conduit, les yeux bandés, à quelques kilomètres d'un camp de chasse qu'il possédait, puis qu'il l'avait laissé se débrouiller pour retrouver son chemin. Il y avait mis seize heures. Une autre fois, le jeune garçon avait réussi à convaincre son père d'acheter un chat, qui avait accepté à la condition qu'il veille lui-même à son entretien selon un programme rigoureux. Un jour, il avait oublié de nettoyer sa litière et le lendemain, le chat avait disparu.

— Tu te rends compte, me dit-elle, les yeux brillant de colère, il a fait tuer le chat pour un seul oubli et lui en a fait porter l'odieux.

— De quoi perturber un enfant sérieusement, avouai-je. Mais comment as-tu appris tout ça ?

— J'ai dû le suivre pendant plusieurs mois pendant sa troisième année de secondaire : il avait expédié deux autres élèves à l'hôpital.

— Il s'était battu ?

Elle fit signe que oui.

— On n'a jamais trop bien compris pourquoi il avait fait ça. Il s'agissait de deux élèves de quatrième secondaire, de petits voyous en fait. Il les a attendus sur le chemin du retour et leur a servi, selon un témoin, une raclée froide et méthodique. Ces deux-là harcelaient souvent d'autres élèves, ce qui ne s'est plus jamais produit par la suite. L'un d'eux a même quitté l'école, mais la commission scolaire a exigé un suivi pour Winston, même s'il n'avait jamais eu de problèmes avant.

Je réfléchis un moment.

— C'était un bon élève ? lui demandai-je.

— Il pouvait exceller dans certaines matières, parfois au point de rendre les profs mal à l'aise, mais il était très inconstant. Il se passionnait pour les jeux de rôle, l'histoire… Enfin, tu vois un peu le style. Il disait qu'il n'était pas né à la bonne époque.

— D'après un livre qu'il n'a pas remis, mentis-je, je vois qu'il s'intéressait particulièrement à la mythologie celte.

— Possible, dit-elle en souriant. Ce serait son genre.

— Tu l'aimais bien, n'est-ce pas ?

— Je l'*aime* bien, oui, monsieur le psychologue. On s'envoie encore des courriels à l'occasion.

— Tu es certaine qu'il est vraiment à Banff ?

Elle fronça les sourcils.

— Bien sûr, quelle question ! Il vient même de rencontrer une fille. Elle s'appelle Colomba. C'est bon signe : il ne s'était jamais vraiment intéressé aux filles.

Je réfléchis en prenant ma dernière bouchée. Ce ne pouvait donc pas être mon homme, même si le profil aurait pu correspondre.

— Winston a-t-il déjà fréquenté un camp pour les jeunes de familles monoparentales ?

Catherine était en train de déchirer un morceau de pain. Elle interrompit son geste en me regardant d'un air inquisiteur.

— Tu parles du camp fondé par O'Brien ?

Elle avait prononcé ce nom avec dédain. J'acquiesçai.

— Je ne sais pas, répondit-elle. Tu sais, ce camp, ce n'était pas quelque chose de très officiel. C'était une fondation, ou quelque chose du genre. La plupart des jeunes ne venaient même pas de la région. Mais pourquoi t'intéresses-tu tant à Winston ?

— Déformation professionnelle, je suppose, répondis-je en haussant les épaules. Le père semble assez particulier.

Elle me toisa pendant quelques secondes.

— Je n'ai pas pleuré quand cet O'Brien est mort, dit-elle. Son contact me rendait mal à l'aise. Je n'ai jamais compris qu'on puisse le laisser s'occuper de jeunes.

— Il y a eu des rumeurs ?

Elle fit signe que non.

— Tu savais que John Arseneault s'occupait également de cette fondation ?

— Il est partout celui-là, dit-elle pensivement. Non, je l'ignorais. D'ailleurs, tu as dû le…

Elle s'interrompit brusquement.

— Pour O'Brien, ce n'était pas un accident non plus, c'est ça ?

Je ne répondis rien. Elle recula contre le dossier et posa ses mains à plat sur la table.

— Tu ne m'as toujours pas expliqué sur quoi tu es tombé exactement, dit-elle en me regardant dans les yeux.

Je compris qu'elle ne faisait pas qu'allusion à ma blessure au front.

22

J'accédai à mes courriels dans le silence presque intimidant du presbytère. L'absence de réponse me causa une certaine déception et, surtout, je craignis d'avoir commis un faux pas. Je vérifiai également dans le courrier de la paroisse : rien. Peut-être étais-je allé trop loin. Au retour du *Finnegan's*, la veille, je m'étais couché en songeant à quelque chose qui avait brièvement éveillé mon attention alors que nous parlions de ce Winston. Bien sûr, il y avait ce profil qui semblait coller si parfaitement, ces gestes de violence, mais c'était autre chose. Puis, soudainement, alors que j'allais abandonner, cela m'était revenu : Catherine avait parlé de jeux de rôle. Or, en faisant des recherches sur Cuchulainn, je me rappelais vaguement être tombé sur un site où l'on utilisait des personnages de la mythologie celte pour des jeux de rôle. Il me fallait retrouver ce site.

J'avais pris l'habitude d'effacer l'historique et même les fichiers temporaires. Je devais donc tenter de refaire le parcours de mes recherches initiales. Je me mis à la tâche.

Après un moment, je dus me lever pour fermer les stores, la lumière du soleil faisant un reflet dans l'écran. J'en profitai pour allumer la radio : ce silence commençait à me peser. Je cherchais depuis plusieurs minutes lorsque je me rappelai que le site était en français, ce qui me permit de restreindre considérablement le nombre de liens à visiter.

Lorsque la page d'accueil apparut enfin à l'écran, je reconnus immédiatement l'image : la représentation tourmentée d'une sorte d'antique combat épique. Au-dessus de l'image scintillait le nom du site : *Le Cercle de l'Autre Monde*. Je n'étais pas très familier avec les jeux de rôle, mais je connaissais tout de même un peu le principe : on attribuait différentes caractéristiques à des personnages, qui devaient s'affronter ou subir des épreuves dans lesquelles leur sort se jouerait selon un système complexe de probabilités, en fonction de leurs divers attributs et des décisions prises par le joueur. Le site semblait inactif depuis plus d'un an. Certains liens ne fonctionnaient pas, comme celui d'un forum de discussion. Je mis un bon moment à m'y retrouver, me demandant comment ils pouvaient en venir à maîtriser cet univers étrange et complexe. Je devinai que les liens comme *Mag Tuiredh* ou *Mag Muirthemne* faisaient référence à des batailles auxquelles avaient participé les joueurs. C'était d'ailleurs sur une de ces pages que j'avais abouti la première fois. Mais il n'y avait rien là de bien utile pour moi.

Je revins à la page d'accueil. En déplaçant le curseur, je remarquai qu'il y avait un lien que je n'avais pas aperçu au début : *In Circulus*. En cliquant sur l'expression, je fis apparaître une liste de noms celtes, puis les photos qui les accompagnaient : des jeunes de quinze ou seize ans, à première vue. À côté de la photo d'un garçon souriant aux cheveux blonds, il y avait deux noms : Arawn et Cuchulainn. Je scrutai longuement son visage, mes pensées se bousculant. Puis, je regardai les autres photos : trois garçons et une fille. Celle-ci portait les pseudonymes de Morrigan et Scathach.

J'imprimai la page : il me fallait montrer ces photos à Catherine. Après avoir exploré le site encore quelques minutes, je retournai voir mon courrier : toujours rien. Je pris soin d'effacer toute trace de mon passage avant d'éteindre l'ordinateur. La radio ne cessait de diffuser des publicités tonitruantes sur le *Boxing Day* ; je me levai pour l'éteindre. Il me fallait réfléchir. La veille, je n'avais rien dit de plus à Catherine que ce qu'elle pouvait déjà déduire, mais si je lui montrais la photo en lui demandant si ce garçon était bien Winston Sénécal, il deviendrait évident que mon intérêt de la veille n'était pas fortuit. Je remis cette décision à plus tard. Il fallait que je parle à Maureen O'Mara au sujet de ce camp.

Je pliai la feuille et la mis dans la poche intérieure de mon manteau. Sur le bureau, il y avait un petit classeur de plastique pour les adresses, et je cherchai la fiche de la bénévole. Elle s'y trouvait. Je fis le numéro. Une voix enfantine répondit en anglais après quelques sonneries. Je demandai à parler à madame O'Mara. Elle ne dit rien et quelques secondes plus tard je reconnus la voix de Maureen. Elle parut surprise de mon appel. Je lui expliquai que j'appelais du presbytère.

— Tout va bien ? demanda-t-elle.

— Oui. Pouvez-vous m'en dire plus au sujet de ce camp dont nous avons parlé ?

— Une seconde, dit-elle après un instant d'hésitation.

Je n'entendais plus les éclats de voix en bruit de fond et je compris qu'elle avait changé de pièce.

— Écoute, ce n'était pas quelque chose de très formel, mais je sais qu'ils louaient une maison qui servait autrefois pour les retraites fermées d'une congrégation religieuse. C'est au lac Saint-Germain. Plusieurs familles d'ici louent cet endroit pour leurs rassemblements.

— Ce n'est pas le lac où cet homme, O'Brien, avait un chalet ?

— C'est ça, dit-elle après un moment de silence. J'y pense : tu pourrais peut-être en parler à madame Dupuis, celle qui fait le ménage au presbytère. Je sais qu'elle y a fait l'entretien pendant plusieurs années.

— Elle travaillait pour O'Brien aussi, dis-je en me rappelant notre conversation.

— Il me semble que oui. Peut-être qu'elle pourrait t'aider. Téléphone-lui.

Je pensai aux photos.

— En fait, il faudrait que je la voie. Quand vient-elle faire son ménage ?

— Normalement, c'est le mercredi. Mais elle ne l'a certainement pas fait hier, alors elle devrait y aller aujourd'hui. Habituellement, elle passe après le dîner.

Je la remerciai et raccrochai. Je regardai l'horloge : il était onze heures.

23

Encore une fois, je sonnai pour éviter de faire sursauter madame Dupuis en arrivant ainsi à l'improviste. Cela faisait trois fois que je passais devant le presbytère et celle-ci était la bonne : la voiture de la femme de ménage était garée près de l'église.

— Tiens, bonjour ! dit-elle de sa voix sur-aiguë.

— Vous travaillez le lendemain de Noël, vous ?

— Bah ! il faut bien que ça se fasse, répliqua-t-elle en me cédant le passage.

— Mais il faut penser à se reposer.

Elle émit une sorte de rire nasillard en me tapotant le bras.

— Je ne vous dérangerai pas longtemps. Je dois prendre mes messages, dis-je en désignant l'ordinateur.

— Vas-y, vas-y. Je ne connais rien là-dedans. Je laisse ça à madame O'Mara.

Je sautai sur l'occasion.

— En parlant de madame O'Mara, elle m'a dit que vous pourriez peut-être m'aider.

Je remettais un peu d'ordre dans les affaires du père Lacombe et…

— Pauvre de lui, m'interrompit-elle en secouant la tête.

— Oui, fis-je. Le père Lacombe a fait des dons à un organisme pour lequel vous avez travaillé, *Le Camp vert*. Je me demandais si vous pouviez m'en dire un peu plus. Les dominicains veulent lui rendre hommage et parler de son travail dans la paroisse, de son bénévolat. Enfin, ce genre de choses.

— Oh ! fit-elle en époussetant le bureau. C'est très bien, ça…

Je mis en marche l'ordinateur en lui souriant pour l'encourager à continuer.

— Ils gâtaient tellement les jeunes, à la *Maison de la Miséricorde* : des sports, des jeux… Pauvres enfants.

— Pourquoi dites-vous ça ?

— Ils avaient tous des problèmes à la maison, à ce que monsieur Arseneault disait. C'est pour ça qu'il fallait les aider.

— Le père Lacombe y allait également ?

Elle fit signe que oui.

— Le samedi, surtout.

— Et il n'y a jamais eu de… problème, au camp ?

— Des problèmes ? demanda-t-elle en me lançant un regard effarouché.

— On ne sait jamais, avec des jeunes ayant des ennuis familiaux.

Elle haussa les épaules.

— Je n'étais pas toujours là. Je sais qu'une fois monsieur Arseneault était allé en reconduire un à la maison parce qu'il s'ennuyait trop, mais à part ça…

— Les dominicains aimeraient bien avoir le témoignage d'un des jeunes, et peut-être le vôtre si vous voulez bien.

Elle leva les bras en signe de protestation. Je vis qu'elle était émue et je m'en voulus un peu. Je sortis la feuille que j'avais pliée de façon à ce qu'on ne voit que les photos et la lui montrai.

— Ce garçon aurait déjà fréquenté le camp, le reconnaissez-vous ?

— Pauvre de toi, dit-elle. Je n'ai pas mes lunettes.

Elle éloigna la feuille en plissant les yeux.

— Non, il ne me dit rien…

Je m'efforçai de masquer ma déception. Elle éloigna la feuille de nouveau en grimaçant.

— Mais elle, la petite fille, elle est déjà venue.

— Vous en êtes sûre ?

— Oui, dit-elle. Elle pleurait souvent, la pauvre petite. Je m'en souviens.

Je repris la feuille.

— Vous ne connaîtriez pas son nom ?

Elle leva le menton en émettant cette espèce de ricanement nasillard.

— Moi, les noms…

— En tout cas, je vous remercie, madame Dupuis.

Elle me tapota le bras encore une fois et s'éloigna vers l'escalier en disant quelque chose à propos de son ménage. Je restai un long moment à réfléchir, les yeux fixés sur la photographie des petites Irlandaises qui était apparue à l'écran. Depuis le début, je n'avais considéré les événements que sous l'angle de la vengeance d'une victime. Il me fallait maintenant envisager une autre possibilité : des meurtres commis pour venger quelqu'un d'autre. Si le garçon du site était bien Winston – ce dont je ne doutais pas –, le lien avec ces hommes devenait la jeune fille qu'avait reconnue madame Dupuis. Dans un des messages, il avait d'ailleurs fait allusion à *l'heure de Morrigan*, et c'était le pseudonyme de cette fille sur le site. Mais où était-il ? Ce soi-disant voyage à Banff pouvait ne constituer qu'un moyen d'éloigner tout soupçon. Les courriels à Catherine ne voulaient rien dire : ils pouvaient avoir été envoyés de n'importe où. Et il était facile d'inventer cette rencontre avec une fille. Je me rappelai du prénom : Colomba. Plutôt inusité.

À l'étage, j'entendis l'aspirateur se mettre en marche. Je vérifiai le courrier une nouvelle fois : toujours rien. À tout hasard, je soumis le mot « Colomba » à un moteur de recherche.

Plusieurs liens apparurent aussitôt : c'était le titre d'une nouvelle de Prosper Mérimée. Certains sites présentaient le texte intégral, mais je pus en lire le résumé sur un site français : l'histoire d'un jeune Corse qui, revenant au pays après des années d'absence, était poussé à la vendetta par sa sœur. C'était elle, Colomba. Et cette histoire en était une de vengeance. Il fallait que je parle à Catherine.

24

Catherine affichait un air vaguement inquiet lorsque je la vis entrer dans le restaurant du *Molly Malone*. Je lui fis signe et elle vint me rejoindre après avoir retiré son manteau. Elle avait encore modifié sa coiffure : ses cheveux étaient maintenant noués en queue de cheval, ce qui lui donnait une allure juvénile. Elle s'assit en face de moi et me demanda si ça allait avec un sourire interrogatif.

— Je ne peux plus me passer de toi, plaisantai-je.

— Ce doit être cette chute que tu as faite, dit-elle en désignant mon front.

Je souris.

— J'aurais quelques questions à te poser, mais après je vais te devoir des explications.

Elle me fit signe de continuer. J'attendis que la serveuse ait pris notre commande : Catherine demanda un café et moi, un Perrier. Je sortis la copie des photos du site et la lui tendis.

— Tu reconnais quelqu'un ? lui demandai-je.

— Lui, c'est Winston et celui-là, c'est son ami Steve, dit-elle sans hésiter.

Elle avait bien désigné celui qui portait les pseudonymes de Cuchulainn et d'Arawn. L'autre était le premier du haut, un garçon au visage sombre portant les noms de Pwyll et de Ferdia. Lorsque je repris la feuille, je vis qu'elle m'interrogeait du regard.

— Es-tu bien sûre que Winston est parti à Banff ?

— Mais oui, dit-elle. Je t'ai dit qu'il m'avait écrit de là-bas.

— Quelle adresse utilise-t-il ?

— Je ne sais pas. Winston quelque chose.

— Une adresse *mymail* ?

— Oui, c'est ça : *mymail.com*.

— Donc, il pouvait t'écrire de n'importe où…

Elle fronça les sourcils.

— À quoi ça rime ?

— Je pense qu'il est toujours ici. Quelqu'un m'écrit en utilisant les mêmes pseudonymes sur ce serveur de courrier et…

Je m'interrompis en voyant arriver la serveuse.

— Il t'écrit, *à toi* ? me demanda Catherine après son départ.

Je lui racontai comment le premier message en latin reçu au presbytère avait tout déclenché, puis je lui expliquai les liens que j'avais faits après ma visite à la bibliothèque

214

de son école. Je lui parlai également des graffitis, de mes soupçons à propos de ces hommes et de la visite que j'avais reçue au motel. Elle m'écoutait avec attention, et je voyais qu'elle réfléchissait aux implications de tout cela. Je conclus en lui expliquant comment son allusion aux jeux de rôle m'avait conduit au site d'où provenaient les photos.

— Madame Dupuis, la femme de ménage du presbytère, a reconnu la jeune fille : elle est certaine de l'avoir vue à la *Maison de la Miséricorde*. C'est l'élément qui me manquait : le lien entre Winston et ces hommes.

Elle secoua la tête, le regard troublé. Je ne dis rien. Puis, elle prit la feuille et regarda les photos.

— Et cette fille qu'il dit avoir rencontrée ?

Je lui expliquai ce que je croyais être le sens de Colomba.

— Selon moi, Colomba, c'est elle, dis-je en désignant la photo.

— Elle fréquente une école privée, dit-elle pensivement.

— Tu la connais ?

Elle pointa la photo.

— Elle porte le costume du Collège Sainte-Marie, une école pour jeunes filles de Sainte-Catherine-du-Lac. Je devrais dire « fréquentais » si cette photo date de quelques années comme les autres.

— Le site semble inactif depuis un bon moment, dis-je en acquiesçant.

Catherine agita son café pensivement.

— Winston m'a dit qu'il était parti sans l'accord de son père et qu'il avait dû se débrouiller par ses propres moyens. Son père ne voulait pas qu'il interrompe ainsi ses études.

— Et il ne t'a jamais parlé de cette fille ?

— Non. Mais il faut dire que je le voyais moins à la fin de son secondaire. Je n'ai appris que récemment qu'il était parti à Banff.

— Et tu le crois capable d'avoir…

Elle soupira et prit une gorgée de café.

— Comme je te disais, il aurait voulu naître à une autre époque. D'où cet intérêt pour ces jeux de rôle. Il raffolait des histoires de combats, d'honneur à défendre…

— J'ai l'impression qu'il avait voulu défendre quelqu'un en assaillant ces élèves de l'école, non ?

— C'est ce que j'ai toujours soupçonné. Il disait simplement qu'il avait mis ses habits de glace et fait ce qu'il avait à faire.

— Ses habits de glace ? demandai-je.

— Une expression de son père, je pense. C'est curieux, je ne l'ai jamais oubliée.

— Et ça signifiait ?

— Une sorte d'état où rien ne pouvait l'atteindre, je suppose. Une froide détermination.

En disant cela, elle me jeta un regard où je pus lire de la crainte : elle voyait à quel point le profil de Winston pouvait cadrer avec ces meurtres.

— Et qu'est-ce qu'on peut faire ?

— D'abord, il faudrait parler à ces deux-là, dis-je en désignant les photos.

— Le garçon est de Val-du-Sault, dit-elle. Je peux sûrement le retracer facilement. Pour la fille, il faudrait que je demande à une de mes voisines qui enseigne au collège.

Elle rit nerveusement.

— C'est dément, dit-elle. Et ensuite ?

— Il faudrait localiser Winston…

— Et…?

— Et je ne sais pas…

— Tu penses qu'Arseneault est le prochain sur la liste ?

— J'ai l'impression qu'il a toujours été le premier sur la liste…

25

J'avais donné rendez-vous à Catherine au *Finnegan's* en fin d'après-midi, mais j'étais arrivé beaucoup plus tôt. Dan Connor était passé en coup de vent quelques minutes après mon arrivée. Il avait paru surpris de me voir et m'avait mis en garde contre « ces Irlandais qui passaient leurs journées dans des pubs ». Je lui avais répliqué que certains en venaient même à en acheter un pour ne plus être embêtés et il s'était esclaffé. En l'entendant parler à une employée, j'avais cru comprendre qu'il allait conduire Camille en ville et qu'il en profiterait pour faire des achats.

La veille, en soirée, j'étais retourné encore une fois au presbytère pour effectuer d'autres recherches sur les personnages de la mythologie celte. J'avais imprimé quelques documents et je les relisais en pensant aux jeunes du *Cercle de l'Autre Monde*. Ce nom faisait allusion au monde parallèle dans lequel se jouaient les destinées complexes des dieux et autres héros, selon les Celtes. Pour ces jeunes, cet univers parallèle était devenu celui de leurs jeux de rôle. Sauf qu'il semblait maintenant avoir des ramifications bien réelles.

Si on se fiait aux pseudonymes choisis, c'était entre Winston, son ami Steve et cette jeune fille que les liens étaient les plus étroits. Steve personnifiait Pwyll et Ferdia : Pwyll était un allié d'Arawn, avec qui il avait échangé son identité, et Ferdia était le frère de Cuchulainn. La jeune fille s'identifiait à Morrigan, la reine des fantômes, symbolisée par les corneilles se posant sur Cuchulainn à l'heure de sa mort ; et à Scathach, une femme ayant enseigné l'art de la guerre à Cuchulainn et à son frère, et qui deviendrait un jour la maîtresse du premier. Je savais que certains pouvaient pousser très loin l'identification à un personnage de jeu de rôle. Le cas d'un adolescent ayant souffert d'un trouble de dissociation après s'être engagé trop profondément dans une telle activité m'avait déjà été rapporté par un collègue. Mais ici les choses étaient peut-être allées bien plus loin : des hommes étaient morts.

Je regardai l'heure : Catherine allait arriver bientôt. Mon courrier était toujours muet. J'espérais qu'elle puisse m'en apprendre un peu plus au sujet de cette fille. Je mis mes documents de côté et pris un hebdomadaire local qui traînait sur une table voisine. On y parlait de l'incendie du lac du Jésuite, mais il n'y avait guère de détails. Tout au plus mentionnait-on que l'enquête était en cours afin de déterminer les causes du sinistre. L'image des troncs d'arbres disposés sur le lac en signe d'avertissement me revint à l'esprit. Au fond, il ne s'agissait pas vraiment d'un avertissement pour l'homme qui avait péri dans cet incendie, puisqu'il n'en connaissait vraisemblablement pas le sens : l'avertissement était destiné à quelqu'un d'autre. Quelqu'un qui devait se rendre sur les lieux après l'incendie. Je feuilletai rapidement le reste du journal et le remis sur l'autre table : c'était celle où l'on pouvait lire les vers de Chesterton à propos des Irlandais. Sous la vitre de la mienne, on retrouvait la jaquette d'une édition du roman *Ulysse* de James Joyce, avec cette phrase : « Dieu a fait l'aliment ; le diable, l'assaisonnement ». J'avais souri en la lisant : c'était bien dans le style de Dan Connor. Je me rappelais avoir lu un recueil de nouvelles de Joyce et j'en cherchais le titre lorsque Catherine arriva, les joues rosies par le froid. Elle avait une expression préoccupée.

— Ça va ? lui demandai-je.

— Ça peut aller, répondit-elle en s'asseyant. Mon père n'est pas là ?

— Il est passé tantôt. Je crois qu'il est parti reconduire Camille en ville.

Elle fit un geste de la tête.

— Tu bois quelque chose ? me demanda-t-elle en se tournant vers le bar.

— Je viens de boire une limonade, dis-je en désignant mon verre, mais j'en prendrais bien une autre.

Elle me jeta un regard amusé.

— Moi, j'ai besoin de quelque chose de plus fort, mais je t'apporte une limonade.

Elle passa derrière le bar, bavarda un peu avec l'employée et revint quelques instants plus tard avec les verres. Elle buvait un *bloody caesar*.

— L'assaisonnement du diable, dis-je en désignant son verre.

Elle fronça les sourcils en signe d'incompréhension. Je lui montrai la citation de Joyce et elle soupira en maugréant contre les lubies de son père.

— Qu'est ce que c'est ? demanda-t-elle en désignant les documents posés sur la table.

— Des textes sur la mythologie celte. On y parle des personnages du site où j'ai trouvé les photos.

— Justement, dit-elle, j'ai eu des nouvelles de Steve.

Elle fit une pause.

— Il est à Banff depuis l'été dernier.

Puis, comme si elle répondait à mon interrogation muette, elle ajouta :

— Et il y est allé seul.

— Comment as-tu appris ça ?

— Sa sœur aînée travaille dans une boutique à Val-du-Sault. Je lui ai parlé ce matin.

— Et pour la jeune fille ?

— Je n'ai pas encore réussi à voir ma voisine. Mais il y a autre chose : j'ai relu les courriels de Winston et il y a effectivement quelque chose qui cloche…

— Quoi ?

— L'hôtel où il dit travailler : c'est celui où Steve se trouve.

Je réfléchis un instant.

— C'est bien ce que je croyais : il est encore ici.

Elle acquiesça.

— Pourtant, j'ai téléphoné chez lui et son père m'a dit qu'il était à l'extérieur de la province. Et quand je lui ai demandé s'il avait son numéro de téléphone, il m'a dit qu'il n'avait que son adresse électronique.

— Je parie qu'il est avec cette fille. Il faut vraiment la retrouver. Tu as toujours les photos ?

Elle fit signe que oui et sortit la feuille de son sac à main.

— Et les noms celtes, me demanda-t-elle, ça t'a appris quelque chose ?

Je lui fis le résumé de mes recherches en lui montrant les liens entre les personnages. Elle m'écouta avec attention en jetant un coup d'œil à mes documents de temps à autre.

— Il n'y a rien qui te frappe ? me demanda-t-elle ensuite.

Je lui jetai un regard interrogatif.

— Winston semble avoir emprunté l'identité de Steve…

— Comme Arawn avec Pwyll ! m'exclamai-je.

Elle hocha la tête sans rien dire. Plusieurs minutes passèrent. Nous étions tous deux perdus dans nos pensées. Comme moi, elle devait se demander où tout cela nous mènerait.

— À quoi songes-tu ? me demanda Catherine alors que je fixais la couverture du roman, sous la vitre de la table.

— Je me demandais si j'avais bien fait de t'entraîner là-dedans.

Elle me regarda sans rien dire.

— Avant de parler à la sœur de Steve, dit-elle pensivement après un moment, je croyais vraiment qu'il y aurait une autre explication à toute cette histoire. Mais là…

Je fis signe que je comprenais. Visiblement, elle en était arrivée aux mêmes conclusions que moi.

26

Les chants de la chorale s'élevaient dans l'église aux bancs déserts. Catherine m'avait proposé de l'y rejoindre après la répétition du samedi soir, m'interdisant toutefois d'y assister. Mais je n'avais pu résister et j'étais arrivé plus tôt pour les entendre de nouveau. En retrait, dans le vestibule, j'avais l'impression de veiller la photo *In Memoriam* du père Lacombe pendant qu'un chœur invisible faisait vibrer l'endroit de ballades irlandaises. Catherine m'avait expliqué que ce que disait Chesterton à propos des Irlandais et de leurs chansons tristes n'était pas tout à fait exact. Dans la tradition du *sean-nòs*, ou ancien style, les complaintes côtoyaient les berceuses et les chansons plus joyeuses, illustrant ainsi les divers aspects de la vie. C'étaient ces chants anciens qu'elle interprétait *a capella*, comme le voulait la tradition.

Ce soir-là, Maureen O'Mara dirigeait la répétition. Entre les chansons, des éclats de rire résonnaient dans l'église. Dans les échanges, je pouvais reconnaître la voix de Catherine, même si ses inflexions me semblaient plus graves lorsqu'elle s'exprimait en anglais. Si mon accent me trahissait, ce n'était certainement pas son cas ; elle était également à l'aise dans les deux langues.

D'où j'étais, le père Lacombe semblait poser sur moi un regard un peu las et j'observai de nouveau que son sourire sur cette photo avait quelque chose de contraint, comme s'il n'arrivait pas à dissimuler complètement une quelconque souffrance. Je pensai au nouveau courriel que j'avais reçu : *L'individu souverain établit lui-même ses propres valeurs,* disait-il. J'avais demandé à mon correspondant s'il était sage de se faire justice : j'avais ma réponse. Cette fois, nul besoin de recherches : l'allusion à Nietzsche était évidente. J'avais aussitôt fait le lien avec ce que j'avais appris à la bibliothèque : Winston Sénécal devait des livres de philosophie.

Le courriel avait été envoyé à mon adresse personnelle, comme je l'espérais. Ce garçon était perspicace. Qu'il en réfère à Nietzsche ne me surprenait guère. Quel autre philosophe évoquer, dans pareilles circonstances, que celui qui avait rejeté les valeurs chrétiennes de la pitié et de la résignation ? Visiblement, l'idée de volonté de puissance développée par le philosophe allemand l'avait séduit. Peut-être voulait-il accéder au statut de surhomme cher à Nietzsche. Après tout, il s'identifiait à un héros celte et même à un dieu. Il semblait avoir poussé à l'extrême le concept d'individu souverain : fidèle à sa propre définition de la justice, il s'était fait juge et bourreau. Chez lui, tout semblait cohérent et ordonné, comme si les meurtres n'étaient que l'inexorable dénouement d'un processus implacable : la faute avait conduit au jugement, et le jugement, à l'exécution. Il avait revêtu ses habits de glace et appliqué lui-même la peine capitale. Fascinant cas de figure pour mon cours d'éthique.

Je scrutai le visage du prêtre en me demandant s'il avait pu entrevoir le visage de son bourreau avant d'être poussé dans le vide. Et si, pendant sa chute, il avait eu le temps de penser à sa faute, avant de finir empalé sur cette clôture du jardin de Gethsémani. Je cherchais à établir le lien entre les traits de l'homme et cette jeune fille qu'avait reconnue madame Dupuis, mais comment reconnaître un si terrible secret dans l'expression d'un visage ? Qu'était-il arrivé à cette jeune fille, à la *Maison de la Miséricorde* ou ailleurs, pour provoquer une telle vengeance ? Car j'étais maintenant certain que Winston l'avait fait pour elle, que celle qu'il nommait Colomba était la même que celle qui personnifiait la déesse de la mort dans leurs jeux.

Du mouvement dans l'église vint interrompre mes réflexions : la répétition semblait terminée. Après une seconde d'hésitation, je décidai de sortir. Je fis quelques pas dans le stationnement en remontant mon col. La nuit était claire et froide. Les premières femmes regagnèrent leurs voitures en se pressant. Certaines me jetaient des regards furtifs et je m'éloignai un peu. Maureen et Catherine sortirent les dernières. Elles bavardèrent un instant à côté de la voiture de Maureen, qui était stationnée tout près des portes. Quand elle fut partie, Catherine balaya du regard le stationnement et je lui envoyai la main avant de m'approcher.

— C'est vraiment glacial, dit-elle en frissonnant. On va au *Finnegan's* ?

— C'est mal famé, plaisantai-je, mais allons-y quand même.

— On prend ta voiture ? Elle doit être encore chaude…

Je jetai un coup d'œil à la Volkswagen.

— Je dois dire que j'ai triché, avouai-je, un peu gêné.

Elle m'interrogea du regard.

— J'ai assisté à votre répétition.

— Tu étais sous l'autel ou quoi ? me demanda-t-elle en riant.

Je fis un geste vague en direction de l'entrée de l'église.

— Allez ! lança-t-elle en se dirigeant vers ma voiture. C'est une chance que Maureen ne t'ait pas surpris.

— Je ne recommencerai plus…

— C'est quand même mieux qu'à l'extérieur, dit Catherine en se tapant dans les mains dans la Volks.

— J'ai eu ma réponse, dis-je après avoir démarré.

— Il t'a écrit ?

— Hier soir. À mon adresse personnelle.

Je lui expliquai ce que contenait le message et les liens que j'avais faits avec les ouvrages de Nietzsche. Elle soupira.

— Il n'y a plus de doute possible, murmura-t-elle, comme pour elle-même.

Elle frissonnait toujours, alors je poussai le chauffage au maximum. Son regard était grave ; je compris qu'elle aussi avait appris quelque chose, mais elle semblait réticente à parler.

— Je suis allé faire un tour du côté de Sainte-Catherine-du-Lac aujourd'hui, lui dis-je. Je n'avais rien à faire et c'est un coin que je ne connais pas. Le collège est vraiment bien situé. Un très beau bâtiment.

Elle acquiesça pensivement.

— Elle est morte, dit-elle après un moment.

Sachant de qui elle parlait, je la laissai continuer.

— J'ai appris qu'elle s'est suicidée l'été dernier en avalant les médicaments de sa mère.

Je secouai la tête en réfléchissant aux implications de ce que Catherine venait de me dire. Elle se tourna vers moi. Son expression s'était durcie et ses yeux brillaient.

— Elle s'appelait Émilie, précisa-t-elle. Émilie Arseneault. C'était la nièce de John Arseneault.

27

À Killarney, je n'avais réussi à dénicher qu'une carte des sentiers de motoneige qui sillonnaient la région, mais c'était d'une bonne carte topographique dont j'avais besoin. On m'avait dit que j'en trouverais certainement une à la boutique de plein air de Val-du-Sault et que celle-ci était ouverte le dimanche. Au pub, la veille, j'avais demandé à Catherine de me dire tout ce qu'elle savait de Winston Sénécal, même ce dont nous avions déjà parlé. J'avais l'impression qu'il était tout près, à la fois invisible et omniprésent. Mais où?

Alors qu'elle croyait m'avoir à peu près tout dit, Catherine avait fait de nouveau allusion à ce camp de chasse des Sénécal. Winston lui avait raconté que son père l'avait construit tout près de la ZEC des Hauts, dans un endroit particulièrement difficile d'accès. Il craignait les vols et avait donc construit le camp sans même tracer un sentier, au bout d'une enfilade d'étangs reliés par un ruisseau dont elle avait oublié le nom. Pour s'y rendre en été, il fallait faire une série de portages épuisants qui auraient découragé n'importe qui.

Monsieur Sénécal évitait d'y aller l'hiver, de crainte de laisser des traces qui auraient pu guider des curieux, et avait convoyé les matériaux les plus lourds au printemps, en motoneige, juste avant la fonte des neiges. Winston avait raconté tout ça à Catherine parce que la construction avait été une dure épreuve pour lui, son père l'ayant rudement mis à contribution malgré son jeune âge à l'époque.

Je jugeais que c'était une piste à ne pas négliger : Winston pouvait bien se cacher là. J'avais déjà observé qu'en coupant à travers la forêt, Val-du-Sault n'était pas si loin de Killarney et c'était le cas également des nombreux lacs qui l'entouraient. Même à pied, les sentiers de motoneige pouvaient constituer un raccourci intéressant entre plusieurs endroits. Avec une carte topographique, je pourrais peut-être cibler quelques secteurs correspondant à la description donnée par Catherine et espérer qu'elle reconnaisse un nom.

Je venais de dépasser la base militaire. Je me demandai si le père de Winston avait la moindre idée du drame qui se jouait. Au pub, Catherine et moi avions parlé longuement de l'affaire. Elle m'avait notamment raconté ce qu'elle avait pu apprendre à propos d'Émilie Arseneault : orpheline de père, elle avait été élevée par une mère aux prises avec des problèmes de santé et dépendante financièrement de la famille de son mari. Plus particulièrement de John Arseneault, qui payait les études de sa fille au collège privé. Une bonne action qui n'était certainement pas désintéressée, avions-nous déduit. Elle s'était probablement confiée à son compagnon de jeux de rôle avant de mettre fin à ses jours. Peut-être même s'agissait-il d'une sorte de pacte. Nous avions tenté d'évaluer toutes les possibilités.

En voyant le panneau à moitié couvert de neige qui annonçait le lac Saint-Germain, je ralentis un peu. J'évaluai la possibilité d'aller jeter un coup d'œil du côté de la *Maison de la Miséricorde*, mais décidai de n'en rien faire : mettre la main sur cette carte était plus pressant.

J'aperçus bientôt un autre panneau de signalisation indiquant qu'un sentier de motoneige traversait la route à cet endroit. Sans ces panneaux, les sentiers qui s'enfonçaient dans ces forêts neigeuses seraient passés presque inaperçus. Des sentiers où rôdait la mort, si mon hypothèse était la bonne. Sauf que ce n'était pas la mort que j'avais dû apprendre à connaître : cette mort insensible et absurde qui frappait arbitrairement le long d'une route pour semer la désolation. Non, c'était une mort annoncée, ordonnée, une mort rendue presque respectable par ses motivations et qui, dès lors, pouvait montrer son visage. Cette mort-là me fascinait.

28

Sur la carte topographique achetée à Val-du-Sault, j'avais tracé une ligne droite entre le ponceau et le ruisseau, et noté précisément les coordonnées géographiques à suivre en tenant compte de la déclinaison : deux kilomètres de marche en forêt. Heureusement, les courbes de niveau étaient peu rapprochées sur ce tracé, ce qui indiquait un terrain relativement plat. Je m'étais procuré la boussole à la boutique en même temps que ces raquettes high-tech, mais il m'avait fallu un peu de temps pour me refaire la main.

J'avais laissé la voiture le long de la route, près du ponceau qui me servait de point de repère, pour m'enfoncer dans la forêt en direction du ruisseau Désilets. Mon objectif était de le rejoindre et de le longer en remontant jusqu'à ces étangs près desquels était censé se trouver le camp des Sénécal. La forêt n'était pas très dense et je pouvais avancer sans trop avoir à corriger ma ligne de marche. De temps à autre, je croisais des pistes de lièvres et d'autres traces plus petites que je ne pouvais identifier. À la boutique, l'homme m'avait dit que des loups s'aventuraient parfois sur la ZEC des Hauts en hiver, pour chasser les chevreuils. J'avais d'abord cru à une plaisanterie, puis je m'étais rappelé qu'on organisait des soirées d'appels aux loups dans le coin.

Il était tombé une neige collante la veille et les arbres ployaient sous ce fardeau. Parfois, des plaques se détachaient des branches des sapins pour tomber au sol et ajouter à la couche déjà épaisse qui le recouvrait. Je me félicitai de mon achat : ces raquettes étaient à la fois légères et efficaces. J'aurais pu tenter d'utiliser les sentiers de motoneige, mais la carte était plutôt imprécise et je n'avais pas suffisamment de repères pour en reporter les indications sur la carte topographique. Tout au plus avais-je pu établir qu'un sentier passait à environ un kilomètre à l'est des étangs avant de traverser la route qui m'avait mené ici.

Je continuais à avancer en pensant aux objections de Catherine. La veille, au téléphone, elle avait relevé une faille majeure dans mon hypothèse au sujet du lieu où pouvait se cacher Winston Sénécal : il devait avoir accès à Internet. Il se rendait peut-être au café de Val-du-Sault, avais-je suggéré, mais elle avait jugé cette idée tirée par les cheveux, estimant que cela représentait bien des déplacements. Lorsque je lui avais mentionné le nom des deux ruisseaux correspondant à la description qu'elle m'avait donnée, elle n'avait pas hésité une seconde : c'était le ruisseau Désilets. L'autre se nommait le Tuaisceart et elle m'avait appris que cela signifiait « nord » en gaélique : ce nom-là, elle n'aurait pu l'oublier.

Elle m'avait dit qu'elle avait téléphoné à cet hôtel de Banff pour s'assurer qu'aucun Winston Sénécal n'y travaillait. Je m'étais efforcé de ne pas réagir : je croyais que c'était un fait acquis. Visiblement, elle aurait préféré que le jeune homme ne soit pas mêlé à cette histoire. Elle avait tenté en vain de me convaincre de renoncer à cette expédition vers le camp. Je n'avais su que répondre quand elle m'avait demandé ce que je ferais si je le trouvais là. En fait, je ne le savais pas moi-même. Jouer au randonneur curieux, sans doute. J'avais la conviction qu'il n'était pas dangereux. Enfin, pas pour un amant de la nature parti en expédition avec une carte et une boussole. Je réalisai que j'excluais la possibilité qu'il m'ait déjà vu, mais il était trop tard pour reculer.

Je devais dévier de ma route pour éviter une zone trop dense en épinettes. Je consultai ma boussole, pris un point de repère sur une montagne que je pouvais entrevoir entre les arbres et décidai de continuer vers la droite en espérant ne pas avoir à trop m'éloigner du trajet prévu. Je crus discerner le bruit de motoneiges qui troublaient le silence de la forêt. Il devait être près de midi ; mon ombre se profilait devant moi : je me dirigeais vers le nord. Après un moment, je pus tourner vers la gauche pour retrouver ma ligne de marche, mais je n'apercevais plus mon point de repère au-delà de la cime des arbres. Je refis le point en espérant ne pas avoir trop dévié du trajet prévu.

Après plusieurs minutes de marche, j'atteignis une zone dégagée. Des joncs perçaient la surface lisse de la neige : c'était la zone marécageuse qui bordait le ruisseau. Je bifurquai vers l'est après avoir consulté ma carte. Le premier étang devait se trouver à environ un kilomètre en amont. L'éclat du soleil sur la neige était éblouissant et je fis une pause pour trouver mes verres fumés, mais je les avais laissés dans la voiture. J'en profitai pour enlever un chandail, car je m'étais trop habillé. C'était une journée magnifique. Je repris ma marche et après un moment j'aperçus, au loin, une construction dans les arbres : sans doute une cache pour la chasse à l'orignal. En m'approchant, je pus distinguer les barreaux d'une échelle de fortune. Je remarquai qu'à cet endroit les berges du ruisseau étaient plus accidentées. J'avais mémorisé ce détail en observant la carte : le premier étang n'était pas loin.

Arrivé près de la cache, je m'arrêtai un moment pour l'observer. Puis, après avoir jeté un coup d'œil à la longue piste que mes pas avaient tracée derrière moi, je continuai d'avancer. Je ne m'étais pas trompé : le premier étang était tout près. Mais aucune trace de camp. Maintenant je devais choisir entre passer sur l'étang pour rejoindre le ruisseau ou entrer dans la forêt, qui semblait particulièrement dense à cet endroit. J'optai pour la forêt : je ne voulais pas rester plus longtemps en terrain dégagé. Je consultai la carte : le second étang n'était pas très loin, mais je devais tenir compte du fait que le ruisseau obliquait vers le nord-est et éviter de trop m'enfoncer dans la forêt.

J'avançais lentement en écartant les branches basses. Le terrain s'élevait et j'avançais de façon à rester en vue du ruisseau, sur ma gauche. Après plusieurs minutes, j'entrai dans une zone où des troncs taillés en forme de pieux émergeaient de la neige : l'œuvre de castors. Un sentier très net conduisait au ruisseau et j'aperçus un bouleau de bonne dimension dont l'écorce avait été complètement rongée. Je le considérai un instant en songeant à l'incroyable efficacité de ces animaux, puis je repris ma route.

Progressant avec difficulté, je commençais à regretter de ne pas avoir suivi le ruisseau. J'avais renoncé à zigzaguer pour trouver le meilleur chemin et je marchais tout droit en brisant des branches, aussi discret qu'un travailleur forestier. Après un moment, je constatai que j'avais complètement perdu le ruisseau de vue. Je déposai mon sac et pris une gorgée d'eau en m'appuyant contre une épinette, qui me laissa la paume de la main toute collante.

J'allais replacer ma bouteille lorsque j'aperçus les traces à quelques mètres devant moi. Je repris mon sac et avançai prudemment après avoir jeté un coup d'œil aux alentours. Il s'agissait d'empreintes de raquettes récentes, très semblables à celles que je laissais moi-même, sauf que la neige avait été foulée régulièrement à cet endroit. Je comparai les traces aux miennes pour en évaluer la direction : le marcheur se dirigeait vers l'est, à ma droite. Il s'éloignait donc du ruisseau et par le fait même, si j'avais visé juste, du camp qui devait se trouver tout près du cours d'eau.

Je décidai de suivre la piste en direction du ruisseau Désilets. Rapidement, je constatai qu'elle empruntait une sorte de coulée naturelle relativement dégagée. Après quelques dizaines de mètres, j'aperçus la surface immaculée de l'étang, plus bas, et remarquai que la piste bifurquait brusquement à droite : le camp était là, en surplomb, discrètement dressé sur ses pilotis au milieu de pins de bonne dimension. Je m'arrêtai pour l'observer : une robuste construction rectangulaire pourvue d'une galerie sur au moins trois côtés, à laquelle on accédait par un escalier abrupt.

Il me fallait prendre une décision. Le camp semblait désert et tout indiquait que son occupant n'était pas parti depuis très longtemps : quelle que soit sa destination, il devait en avoir pour des heures. Je décidai de jeter un coup d'œil. J'avançai en évaluant les probabilités que l'endroit soit fermé à clé. Selon mon père, il était préférable de ne laisser que le strict minimum dans un camp de chasse et de ne pas le verrouiller : de toute façon, rien ne pouvait empêcher d'y avoir accès en pleine forêt et trop de mesures de sécurité pouvaient suggérer la présence de biens de valeur. Aussi, prétendait-il, on avait le devoir de fournir un abri à quiconque se serait égaré en forêt. D'ailleurs, lui-même laissait un nécessaire de survie en tout temps dans son camp.

Lorsque j'atteignis le pied de l'escalier, je demandai s'il y avait quelqu'un en évitant de crier. Ma voix parut tout de même retentir dans le silence comme une détonation. Je retirai mes raquettes et gravis l'escalier lentement, le cœur battant. La porte n'était pas cadenassée, mais il y avait une serrure. Un store m'empêchant de voir à l'intérieur, je marchai sur la galerie en me dirigeant vers l'avant du camp, qui surplombait l'étang. Il y avait une large fenêtre de ce côté, que des rideaux ne couvraient pas entièrement. Je me penchai en plaçant mes mains en coupe pour voir à l'intérieur, mon souffle formant de la buée sur la vitre : l'endroit semblait très peu meublé et désert.

Je traversai de l'autre côté : il n'y avait qu'une petite fenêtre, fermée d'un store elle aussi. Derrière le camp, j'aperçus une cabane de planches. Un sentier bien dégagé y conduisait : il s'agissait des latrines, sans aucun doute, ce qui confirmait que l'endroit était habité. Je revins à la porte. Après une seconde d'hésitation, je tournai la poignée. La porte s'ouvrit. Je pris une inspiration et entrai à l'intérieur. Il me fallut quelques instants pour m'habituer à la pénombre. Le mobilier était restreint : une table en bois avec deux chaises, un divan, un lit de camp ouvert et un autre, retourné contre le mur. Il y avait un petit frigo et un poêle, et je devinai que les appareils fonctionnaient au propane. Il ne faisait pas froid. Je trouvai la chaufferette, reliée à un petit tuyau qui sortait du plancher, et pensai au pharmacien, qui était mort asphyxié à cause d'une fuite de propane.

Près du lit de camp se trouvait un sac de l'armée et l'évidence me frappa : il régnait ici un ordre militaire. Je m'approchai d'une petite tablette sur laquelle on avait déposé une photo encadrée : c'était une jeune femme souriante, qui tenait dans ses bras un petit garçon. Sous le lit impeccablement fait, je vis qu'il y avait un livre. Je me penchai pour voir le titre : *Par-delà bien et mal*, de Nietzsche. Je ne m'étais pas trompé. En me tournant pour me relever, je remarquai qu'une feuille avait été épinglée au mur. J'avançai pour lire le texte :

Mon amour éternel,

Voilà que j'ai trouvé le courage de rejoindre la Terre des Ombres.

C'est le seul moyen de tuer le poison de ces hommes.

Venge-moi, mon Cuchulainn, fais que tout cela arrête à jamais.

Et viens me rejoindre sans crainte, car ce sera notre royaume.

Là-bas, nous serons heureux et rien ne nous atteindra.

Que sainte Brigid te protège.

Je t'aime et je t'attends,

Émilie

Au loin, j'entendis de nouveau le bruit des motoneiges. Je me demandai sur quel sentier se trouvait l'occupant de ces lieux, et ce qu'il y avait au bout de ce sentier.

29

Je n'avais pas été assez attentif aux explications de Catherine, croyant que je n'aurais aucun mal à trouver le *Subway* de Val-du-Sault, mais cela faisait plusieurs minutes que je tournais en rond. Lorsque j'étais rentré au motel après mon expédition, épuisé, le téléphone sonnait avec insistance. J'avais d'abord cru qu'il s'agissait du recteur, mais c'était Catherine. Nous n'avions échangé que quelques mots, pour convenir de ce rendez-vous pour souper. J'avais senti qu'elle avait quelque chose à me dire et il était clair qu'elle voulait éviter Killarney.

Je tentai de me souvenir de ses indications. Elle avait parlé, il me semblait, d'une station-service et d'un petit centre commercial. Il n'y avait rien de tel dans cette partie de la ville. Je regardai l'horloge du tableau de bord : j'étais déjà en retard. La plupart des commerces étaient fermés et les passants avaient déserté les rues sombres et froides. En fait, je ne me rappelais pas avoir vu de passants à Val-du-Sault. Cet endroit avait décidément un côté vaguement désolé, comme si la ville avait été construite autour des scieries et ne revendiquait qu'une fonction purement utilitaire. Ce manque de charme me frappait à chaque visite. Étonnant que Catherine ait décidé de s'y établir.

Je revenais pour la troisième fois dans la rue principale lorsqu'un détail me revint en mémoire : elle avait mentionné l'école. Il fallait donc que je me rende plus au nord.

Quelques minutes plus tard, j'aperçus enfin l'enseigne du restaurant dans une rue transversale. La voiture de Catherine était là et je constatai qu'il n'y avait que quelques clients à l'intérieur. Assise près de la vitrine, Catherine feuilletait un journal. Je descendis de la voiture et entrai. Elle leva la tête et me sourit. J'aimais bien cette façon qu'elle avait de sourire pour m'accueillir.

— Désolé pour le retard, m'excusai-je en enlevant mon manteau.

— Je comprends, Philippe, rétorqua-t-elle avec un air moqueur. Avec tous ces embouteillages…

Je souris.

— En fait, j'ai été retardé par le passage du Transsibérien. C'est fou ce qu'il peut être lent. On passe au comptoir ?

— Je meurs de faim, dit-elle en acquiesçant.

Après avoir échangé quelques banalités

en attendant notre repas, nous retournâmes nous asseoir.

— Est-ce que je me trompe, ou il y a quelque chose de déprimant dans cette ville ?

Elle éclata de rire.

— D'où cette allusion à la Sibérie… Tu ne te trompes pas. Cette ville est parfaite pour venir s'enterrer après un divorce. Et aucun risque d'y rencontrer quelqu'un.

— Rappelle-moi de venir m'y installer.

Elle me regarda dans les yeux.

— Tu tiens tant à rester seul ?

Je la regardai sans rien trouver à répondre.

— Désolée, s'excusa-t-elle. Ce n'est pas très délicat.

— Ce n'est rien. C'est juste que…

Elle m'interrompit d'un geste. Quelque chose dans son regard me donna le goût de m'excuser à mon tour, mais je ne savais pas de quoi m'excuser et je ne dis rien.

— Je suis passée au motel en début d'après-midi, dit-elle après un moment.

— J'étais parti à la recherche de ce camp, expliquai-je.

— C'est ce que j'ai pensé. Et tu l'as trouvé ?

Je fis signe que oui.

— Il y était ?

— Non. Mais c'est bien là qu'il se cache.

Je lui parlai de ce que j'avais pu voir à l'intérieur, et surtout de la lettre d'Émilie, dont j'avais pratiquement retenu chaque mot. Catherine réfléchit quelques instants et je pus voir dans ses yeux qu'elle était émue.

— On dirait un pacte de suicide, dit-elle tout bas, comme pour elle-même.

— En tout cas, elle l'incite à la rejoindre après l'avoir vengée. Et il semble bien que Winston savait qu'elle voulait en finir.

— Ça explique bien des choses... Étrange qu'elle fasse allusion à une sainte irlandaise...

— Je crois avoir lu que c'est en fait une figure celte mythique récupérée par l'Église. Et n'oublie pas qu'elle parle de la Terre des Ombres et appelle Winston « Cuchulainn », comme s'ils étaient dans leurs jeux de rôle.

Elle hocha la tête.

— Tu as trouvé autre chose, là-bas ?

— Je n'ai pas vraiment pris le temps de fouiller. Je ne voulais pas courir ce risque. Mais j'ai remarqué que l'équipement militaire ne manquait pas. Certains objets portaient les coordonnées de la base de Killarney. Et je suis maintenant convaincu qu'il circule bel et bien à pied en empruntant les sentiers de motoneige, du moins en partie.

— Et tu avais raison pour le café Internet, dit-elle. Il se rend bien là-bas. Hier, j'y suis allée avec les photos et une employée l'a reconnu, même s'il porte maintenant une barbe. Elle dit qu'il y vient de temps à autre.

J'allais lui demander si elle l'avait vu dernièrement lorsqu'elle ajouta :

— Je crois qu'Arseneault m'a suivie.

— Tu en es sûre ?

Elle acquiesça.

— Lorsque je suis sortie, j'ai aperçu sa voiture, stationnée un peu plus loin. Je suis partie, mine de rien, mais je suis revenue quelques instants plus tard et il entrait à l'intérieur du café.

Je me demandai si quelqu'un avait pu apercevoir ma voiture garée sur un bas-côté, en pleine forêt.

— Nous sommes en train de le conduire à Winston, dit-elle avec une expression dure.

Je compris qu'elle pensait à cette jeune fille. Et à ce que lui avaient fait ces hommes. J'avais eu les mêmes pensées en revenant du camp. Je connaissais trop bien les procédés de ces gens-là et je savais avec quel soin ils pouvaient dissimuler leurs actes sous le couvert des bonnes intentions, après avoir soigneusement choisi leur victime. Dans le cas présent, une jeune fille orpheline de père qu'un oncle bienveillant emmène dans un camp où elle pourra s'épanouir en toute sécurité. Dieu savait ce qu'ils lui avaient fait là-bas. Mais elle s'était confiée à son amoureux et trois d'entre eux étaient maintenant morts.

— J'ai vu ce graffiti aujourd'hui en me rendant à Killarney, dit soudainement Catherine. Le nombre douze en chiffres romains.

— Où? dis-je en m'efforçant de ne pas hausser la voix.

— Sur un panneau à environ un kilomètre de la ville.

— Un panneau ?

— Oui, ce panneau qui nous rappelle de conduire prudemment. Celui de la police de Killarney.

Je la regardai sans rien dire. Ses yeux brillaient et je me demandai si je voulais savoir ce que signifiait cette expression sur son visage.

30

John Arseneault voulait retrouver celui qui avait éliminé ses comparses un à un, et ce n'était certainement pas pour le livrer à la justice. Mais pour cela il ne pouvait probablement pas compter sur l'aide de son équipe, ce qui constituait son plus grand handicap. Quant à Winston Sénécal, il faisait face à une proie rusée et dangereuse, une proie qui tenait davantage du prédateur. Avec ce nouveau graffiti, qu'il avait peut-être tracé au moment même où je me trouvais dans son refuge, il avait annoncé son intention d'agir bientôt.

L'affrontement paraissait inéluctable. Cependant, Catherine et moi avions peut-être trouvé un moyen de faire tomber Arseneault sans condamner Winston. Pour cela, il nous fallait soit trouver rapidement une autre victime qui serait prête à témoigner, soit tenter de savoir si Émilie Arseneault avait pu se confier à quelqu'un d'autre. Toutes les autres options nous avaient semblé sans issue. En s'en prenant à cette fille, ces hommes avaient transformé un amateur de jeux de

rôle en un tueur animé d'une froide détermination. C'était comme s'ils avaient entrou-
vert une porte que nul ne pourrait plus refer-
mer, la porte du *Cercle de l'Autre Monde*, un
endroit où les destinées se jouaient tragi-
quement et où la mort était souvent la seule
issue.

Comme Cuchulainn, Winston menait un
combat contre le Mal. C'était la perte de son
amour qui avait déclenché sa fureur ; je ne
pouvais m'empêcher de faire le parallèle avec
ce que j'avais vécu à la mort de Maude. Alors
que j'avais sombré dans l'apathie, considé-
rant le chauffard qui avait heurté Maude
presque avec indifférence, comme s'il n'était
que le banal instrument d'un destin aveugle,
il avait décidé de laver la faute de ces hommes
en les précipitant dans la mort. En liant la
mort à la justice, il lui avait donné un sens.
J'enviais presque la consolation que le jeune
homme avait sans doute trouvée en choisis-
sant cette voie. Mais pour cela il fallait croire. Croire qu'il allait bien rejoindre Émilie sur
la Terre des Ombres. Existait-il, ce royaume
où l'on retrouvait les êtres disparus et où rien
ne pouvait nous atteindre ? Combien de fois
avais-je rêvé d'un tel endroit pour Maude,
un endroit que ma raison m'interdisait autant
que le paradis chrétien ?

Catherine avait parlé de la lettre d'Émilie, y voyant un appel à l'honneur qu'un gar-

çon comme Winston ne pourrait ignorer. Comme Morrigan, Émilie semblait incarner une dualité, celle de l'énergie qui anime le héros en même temps que celle du malheur qui s'abat sur autrui. J'avais compris que l'idée de voir John Arseneault disparaître de ce monde ne lui aurait pas déplu. Mais nous avions d'autres projets pour lui. J'allumai le téléviseur en attendant son appel. Toutes les stations s'étaient donné le mot pour diffuser des rétrospectives de l'année. Je compris soudainement que c'était la veille du jour de l'An. Pas étonnant que Gisèle Dupuis m'ait accueilli avec cet air outré. Mais en repensant à notre bref échange à la porte de son appartement, j'en revenais à l'idée qu'il y avait bien plus que cela. Son attitude avait été méfiante, presque hostile. Et ce n'était pas que la surprise de me voir surgir chez elle sans crier gare. Elle n'avait pas répondu à mes questions au sujet du *Camp vert*, ne se rappelait plus de rien, ne connaissait aucun des jeunes qui y avaient séjourné. Elle n'était même plus sûre d'avoir reconnu Émilie Arseneault. Agrippée à la poignée de la porte comme si elle craignait que je m'introduise de force, elle évitait mon regard et son timbre de voix trahissait sa nervosité. Il était clair qu'elle était apeurée. Quelqu'un lui avait parlé, et ce ne pouvait être que John Arseneault. Impossible de savoir ce qu'il avait pu lui dire à mon sujet, mais j'aurais pu jurer que ce n'était pas de lui qu'elle avait peur, mais de moi.

Je regardai l'heure : deux heures trente. Catherine, de son côté, devait tenter de rejoindre Steve, l'ami de Winston, à son hôtel de Banff. Peut-être Émilie s'était-elle confiée à lui également. Si c'était le cas, il fallait le convaincre de nous donner des détails et d'accepter de porter plainte contre John Arseneault. Si les autres jeunes du groupe étaient également au courant, il y avait une chance que cela réussisse. Mais j'aurais préféré trouver une autre victime. Au téléphone, j'avais été très direct avec Maurenn O'Mara, mais elle m'avait avoué n'en connaître que très peu au sujet de ce camp. Néanmoins, elle m'avait donné l'adresse de madame Dupuis sans hésiter et sans poser de questions. Dès mon arrivée à Killarney, elle m'avait fait comprendre qu'elle entretenait des doutes au sujet du prêtre et de ses amis. Je sentais qu'elle voulait m'aider mais, si une femme comme elle ne savait presque rien, je devais conclure qu'il nous serait difficile d'en apprendre davantage en si peu de temps.

Je me demandai à quel point John Arseneault se rapprochait de Winston Sénécal. Comment savoir ce qu'il avait pu apprendre, les liens qu'il avait pu faire ? Savait-il que sa nièce fréquentait quelqu'un ? Connaissait-il les jeunes de son cercle ?

Même s'il était enquêteur, j'avais le sentiment qu'il n'avait pas compris tout de suite ce qui se passait. Peut-être même croyait-il vraiment, au départ, que Russell O'Brien avait été victime d'une fuite de propane accidentelle dans son chalet. Puis, il y avait eu la chute mortelle du père Lacombe. Pour lui qui connaissait le lien qui unissait ces hommes, la thèse de l'accident ne pouvait plus tenir. *Per quam solvuntur peccata* : pour moi, cette phrase avait tout déclenché. Je me demandai s'il avait lui-même reçu un message de Winston Sénécal. Ou si celui-là lui était destiné.

Lorsque j'avais parlé à Catherine de la personnalité de Winson Sénécal, elle n'avait pas paru séduite par ma théorie de la personnalité narcissique. Pour elle, ces messages étaient évidemment liés à son attrait pour le mystère et les symboles, mais il y avait plus. Selon Catherine, le jeune homme avait peur. Peut-être pas peur de la mort, mais peur que ses motivations demeurent inconnues. Pour lui, il suffisait sans doute d'un interlocuteur. Puisqu'il savait que la mort du prêtre ne pouvait que créer de l'animation au presbytère, il avait cru pouvoir y trouver un interlocuteur valable. Peut-être le remplaçant du père Lacombe, ou un autre dominicain. D'où le message en latin. Catherine ne croyait pas que le message était destiné à Arseneault. Lui, c'étaient les graffitis. Je devais avouer que ses hypothèses tenaient la route. Si elle disait vrai, il y avait une étrange ironie dans tout cela : j'étais l'interlocuteur d'un tueur qui semblait me prendre pour un religieux érudit, alors que j'étais désespérément athée.

J'en étais à cette constatation lorsque le téléphone sonna. Je fermai la télé et répondis. C'était Catherine, qui me demandait de la rejoindre au *Finnegan's*. Le bruit de fond m'indiquait qu'elle y était déjà et qu'elle avait utilisé l'appareil situé derrière le bar. J'enfilai mes bottes et sortis en emportant mon manteau.

Au *Finnegan's*, un Dan Connor dangereusement en forme m'accueillit avec bonne humeur.

— Bienvenue, fils perdu de la race bénie, me lança-t-il en anglais dès que je mis le pied dans le bar.

— Méfie-toi, il a encore besoin de main d'œuvre, me prévint Pat O'Sullivan, les mains en porte-voix.

— N'écoute pas ce vieux débris, dit le maître des lieux en me plaquant une bière dans la main. C'est toujours ce bon vieux Dan qui fait le service la veille du jour de l'An.

Puis, se tournant à demi vers son ami, il ajouta, en haussant ostensiblement la voix :

— Mais il se pourrait que j'aie besoin d'aide pour tirer de sa chaise un vieil ivrogne avant la fin de la soirée.

— Tu rouleras sous la table bien avant moi, protesta Pat. Tu as ramolli depuis que ta femme t'a mis à la tisane…

Plusieurs éclatèrent de rire et Dan fit de même. Puis, il faillit m'envoyer dans les tables en abattant sa large main sur mon épaule.

— Catherine est là-bas, au fond, me dit-il en me lançant un clin d'œil. Amusez-vous…

Je souris, puis me dirigeai vers le fond de la salle en me demandant si Dan n'était pas en train de se méprendre sur la nature de notre relation. La plupart des tables étaient occupées et je constatai que les Irlandais régnaient sans partage ce jour-là. Je serrai la main de Pat au passage et réalisai que je ne me sentais déjà plus comme un étranger à Killarney.

J'aperçus Catherine et me frayai un chemin jusqu'à elle.

— Difficile de passer inaperçu ici, n'est-ce pas ? me demanda-t-elle en riant.

— Ton père est plutôt exubérant ce soir, remarquai-je en m'assoyant.

Elle haussa les épaules.

— Il t'a vraiment adopté, méfie-toi. Je suis sûre qu'il aurait toujours voulu avoir un fils.

— Ta mère ne vient pas ?

— Ma mère ne met presque jamais les pieds ici. Elle déteste les bars…

— Même pour la veille du jour de l'An ?

— Surtout pour la veille du jour de l'An…

— Et Camille ?

— Avec Camille, on ne sait jamais : c'est la bohème de la famille. On la verra peut-être arriver pendant la soirée. Sans doute avec un soupirant transi...

J'éclatai de rire.

— Vous formez vraiment une belle famille.

Elle me jeta un regard énigmatique. Je n'arrivais toujours pas à décoder ce qu'il y avait derrière ce regard qu'elle me jetait à l'occasion. Elle portait un chandail vert qui faisait ressortir ses yeux et je remarquai que ses cheveux étaient coiffés avec soin. Visiblement, elle n'avait pas oublié quel jour on était. Je songeais avec dépit que je devais avoir une allure carrément négligée lorsque je réalisai soudainement que j'avais totalement oublié de téléphoner chez mes parents.

— Qu'est-ce qu'il y a ? demanda Catherine, qui devait avoir remarqué mon changement d'expression.

— J'ai oublié d'appeler ma mère. Mon père doit vivre l'enfer en ce moment.

Elle sourit.

— Il y a un téléphone derrière le bar, dit-elle.

— Si elle remarque que je téléphone d'un bar, elle va croire que j'ai sombré dans l'alcool et se faire du mauvais sang.

— Alors, utilise celui du restaurant...

Cette fois, ce fut moi qui souris.

— Je crois que ça peut attendre à demain. Je n'ai vraiment pas le goût de faire cet appel.

Elle fronça les sourcils d'une façon qui me rappela Maude.

— Tu n'es pas obligé de parler longtemps, dit-elle en posant sa main sur la mienne.

— Exactement ce qu'aurait dit Maude, maugréai-je.

— Alors, nous sommes deux…

Je bus une gorgée et me levai pour me diriger vers le bar. Tant pis pour les inquiétudes de ma mère. Mais je tombai sur le répondeur et levai le pouce en direction de Catherine avant de laisser un message disant que je rappellerais le lendemain.

— Le répondeur ? demanda-t-elle lorsque je revins à ma place.

Je fis signe que c'était le cas et elle secoua la tête.

— Tu vas chanter, ce soir ? demandai-je avec un enthousiasme qui me surprit moi-même.

— Ici ?

Je hochai la tête.

— Pas question… Je suis ici pour boire.

Elle désigna son verre d'un mouvement du menton avec une lueur de défi dans les yeux.

— L'autre jour, au spectacle, tu as souhaité une bonne année aux gens en gaélique…

— Et… ?

— Répète-le encore.

— Non ! s'exclama-t-elle en éclatant de rire.

— J'adore ça. On aurait dit une prêtresse qui s'adressait à ses fidèles.

— Je déteste qu'on se moque de moi, dit-elle en me toisant.

— Je ne me moque pas de toi.

— Alors, tu devras attendre à minuit. Si tu ne t'enfuis pas d'ici là. Bientôt, ils vont commencer à porter des toasts larmoyants à la verte Érin, dit-elle en jetant un coup d'œil aux clients.

— Je vais tenter de tenir le coup. Je me sens de plus en plus irlandais.

— Dieu nous en préserve, dit-elle en anglais.

J'avais à peine terminé mon verre que Dan surgit avec deux verres pleins à ras bord d'une bière sombre et mousseuse.

— Tu m'en diras des nouvelles, mon gars. C'est de la part de Pat. Il dit qu'il est temps que tu te mettes à la vraie bière. Pas question de le contredire, à son âge.

Catherine leva les yeux au ciel. Je me tournai pour chercher Pat du regard, mais le bar était maintenant bondé.

— Au moins, il n'a pas dessiné un trèfle dans la mousse, remarqua-t-elle.

— Il peut faire ça ? J'exige d'en avoir un !

Elle sourit.

— Alors, me demanda-t-elle après un moment, quelles sont tes résolutions pour la prochaine année ?

— Je n'y ai pas encore pensé. Ne pas oublier de me raser, peut-être. Et toi ?

— Je ne sais trop. Tourner la page, sans doute.

— C'est bien, dis-je en me demandant si elle me suggérait par là de faire de même.

Il y eut un long silence.

— J'ai téléphoné à Banff, dit-elle enfin.

D'un regard, je l'encourageai à continuer.

— Steve n'est au courant de rien au sujet d'Émilie. Là-dessus, il n'y a pratiquement aucun doute. Il dit ne pas comprendre pourquoi elle s'est suicidée, et ça me semble très sincère.

— Alors, nous avons fait chou blanc tous les deux.

Je lui racontai ma visite chez Gisèle Dupuis. Comme moi, elle conclut que John Arseneault devait lui avoir dit quelque chose à mon sujet. Puis, elle me décrivit comment elle s'y était prise pour approcher Steve, prétextant mener une enquête sur les causes du suicide chez les jeunes, et sa réaction prudente lorsqu'elle lui avait parlé de Winston. Elle était certaine que les deux amis étaient toujours en contact, ce qui était bien possible. Peut-être Winston avait-il eu l'aide de son ami pour rendre plausible son histoire de séjour à Banff. Mais Steve disait ne pas avoir eu de nouvelles de Winston depuis longtemps et elle croyait qu'il avait feint la surprise lorsqu'elle lui avait dit qu'il devait se trouver là-bas également.

Somme toute, nous n'avions progressé en rien et je lui en fis la remarque. Elle hocha la tête sans mot dire, mais j'étais à peu près convaincu que tout comme moi elle pensait au temps qui jouait contre nous.

31

Lorsque j'avais constaté que ma carte topographique avait disparu, trois jours avaient passé depuis que je m'étais rendu au camp des Sénécal. Me maudissant pour cette impardonnable négligence, surtout après cette intrusion dans ma chambre, j'avais tenté en vain de trouver à quel moment précis elle avait pu être dérobée dans ma voiture. Ce pouvait être n'importe quand, aussi bien en pleine nuit dans le stationnement du motel que lors de cette soirée au *Finnegan's*. En revanche, je me rappelais très bien y avoir tracé non seulement l'itinéraire pour se rendre au camp, mais également les coordonnées exactes de celui-ci. Celui qui s'en était emparé, s'il connaissait le moindrement les cartes, n'aurait aucun mal à trouver l'endroit, même s'il y avait toujours la difficulté de s'y rendre en plein hiver. Si c'était John Arseneault — et ce ne pouvait être que lui –, Winston Sénécal était peut-être déjà mort. Arseneault, quant à lui, était bien vivant : Catherine l'avait encore aperçu, la veille, à Val-du-Sault. Elle était presque certaine qu'il revenait du café Internet.

Je garai la Volkswagen près du presbytère. Maurice Dubois achevait d'en déblayer l'escalier.

— Encore de la neige ! lui lançai-je en descendant de la voiture.

— C'est rien, répondit-il en s'appuyant sur sa pelle. Ils annoncent du verglas. Maudit hiver !

Je hochai la tête.

— Tu as passé tout le temps des Fêtes à Killarney ?

C'était davantage une affirmation qu'une question et je me contentai d'un petit signe de tête qui pouvait passer pour un acquiescement. Le sacristain comprit que je n'en dirais pas davantage et me céda le passage en pestant de nouveau contre le climat qui l'obligeait à aller acheter du sel à déglacer.

Comme j'en avais pris l'habitude, je mis l'ordinateur en marche avant même d'enlever mon manteau, pour gagner du temps. Puis, quand les jeunes filles de la troupe apparurent à l'écran, j'accédai directement à Internet pour lire mon courrier. Conscient du risque que je prenais, j'avais utilisé l'adresse de Maude, toujours active, pour avertir Winston du fait que son repaire n'était plus vraiment sûr. En fait, il devait l'avoir constaté avec les traces que j'avais laissées, sauf s'il

avait cru à la visite inopinée d'un randonneur trop curieux.

Je commençai par consulter l'historique
du navigateur pour vérifier si quelqu'un s'en
était servi depuis ma dernière visite : ce n'était
pas le cas. Soupçonnant John Arseneault de
venir ici régulièrement, je m'assurais toujours,
après avoir effacé toutes les traces de mon passage, de consulter quelques sites de nouvelles,
de météo ou de sport, qui apparaîtraient dans
l'historique, afin de laisser croire à une utili-
sation bien innocente de l'appareil.

J'accédai à mon courrier et vis apparaître
le nom d'Arawn. Puis, je constatai avec stupéfaction que le message était adressé en
copie conforme à Catherine : Steve devait être
en contact avec Winston. À moins que ce dernier ne m'ait vu avec Catherine. Je lus le texte :

*J'ai fait mes choix et vous laisse les vôtres,
mes amis.*

*Je sais ce que vous cherchez à faire : c'est votre
idée de la Justice…*

Mais vous n'arrêterez pas cet homme ainsi.

*Alors, je vous laisse choisir : prévenez-le de
ne pas entrer dans son chalet ; il aura la vie sauve.*

*Alors, il recommencera et vous n'y pourrez
rien.*

Ne dites rien ; il mourra et tout sera dit.

*Quant à moi, j'aurai déjà rejoint celle que
j'aime sur la Terre des Ombres lorsque C. rece-
vra une lettre de moi.*

Je relus ce texte plusieurs fois. Il me semblait soudainement que le silence du presbytère pesait sur moi comme une chape de plomb. Mes mains étaient moites et ma gorge, sèche, comme si j'avais respiré une poussière de mort.

32

L'appartement de Catherine se trouvait dans une vieille demeure plutôt cossue qui avait dû appartenir à un notable de l'endroit. Située tout près de l'église et flanquée de grands pins, elle avait tout de la demeure bourgeoise du début du siècle, sauf qu'elle avait visiblement été transformée pour accueillir des locataires.

Lorsque Catherine m'ouvrit, je constatai tout de suite qu'elle avait pleuré, mais je ne dis rien. Elle prit mon manteau et m'invita à passer au salon pendant qu'elle préparait du café.

L'endroit lui ressemblait : un mélange de moderne et d'ancien, une élégance discrète ponctuée de touches plus exubérantes, comme cette grande toile représentant un bouquet aux couleurs vives. Rien d'irlandais, toutefois, si ce n'était de quelques ouvrages dans la bibliothèque et d'un recueil de chants posé sur le coffre qui faisait office de table de salon.

Lorsqu'elle revint, nous restâmes un long moment sans rien dire. Au téléphone, après m'avoir confirmé avoir reçu le courriel, elle m'avait demandé de venir. Je savais qu'elle pensait à cette sinistre lettre qu'elle était censée recevoir.

— Alors ? me demanda-t-elle enfin.

— Il a choisi la voie de Cuchulainn, je crois bien : « Que m'importe de n'avoir qu'une seule journée à vivre si mes actes et ma réputation me survivent... »

Elle secoua la tête. Nous savions tous deux que rien ne pourrait l'empêcher de mener son plan à bien. Et cette terrible décision qu'il nous laissait entre les mains en faisait partie.

— La lettre n'arrivera pas avant lundi, dit-elle en soupirant.

J'acquiesçai. Même ça, il l'avait prévu.

— Il veut connaître notre décision avant de…

Je ne continuai pas, constatant qu'elle réprimait des larmes.

— Mais pourquoi ? lança-t-elle soudainement, les yeux brillants.

— Pourquoi nous placer devant ce dilemme ? Nous sommes trop engagés dans cette histoire pour ne pas prendre parti, je suppose… Il a lu Nietzsche : l'individu souverain doit établir ses propres valeurs.

— Au diable Nietzsche ! Peut-être que le poids de ces meurtres est devenu trop lourd, qu'il veut tout arrêter, au fond de lui…

C'était l'espoir auquel on pouvait s'accrocher. J'en doutais, mais ce n'était pas impossible.

— Et, continua-t-elle, il mourra sans avoir vengé Émilie. Ce serait absurde, après tout ce qu'il a fait.

— Il est probablement le seul à connaître le rôle exact d'Arseneault...

Elle me regarda avec une expression résignée. Il n'était pas question pour elle – ni pour moi – de laisser mourir cet homme, quoi qu'il ait pu faire. Je le savais et elle le savait.

— Pourrais-tu vivre avec...

— Non, me coupa-t-elle. Mais ce que je me demande, c'est comment je vais vivre avec la mort de Winston, s'il passe à l'acte.

— Tu sais que ce n'est pas lié à notre décision de prévenir Arseneault.

Enfoncée dans le fauteuil, les bras entourant ses genoux et les cheveux en désordre, elle avait soudainement l'air très vulnérable. Pour la première fois, je m'avouai que je la trouvais très belle. Mais aussi que j'avais probablement commis l'irréparable en l'entraînant dans tout cela la veille de Noël, dans la maison de ses parents.

— Il ne faut pas qu'Arseneault sache que ça vient de nous, dit-elle après un moment.

— J'ai vu une cabine téléphonique près de la station-service. Je vais téléphoner à la station de radio locale. Je suppose qu'ils vont relayer l'information...

— Un appel anonyme ?

— C'est ça, dis-je en changeant ma voix.

Elle sourit et parut un peu soulagée.

— J'y vais tout de suite, ajoutai-je en me levant.

— Tu es sûr que...

— Ne t'en fais pas.

En me tendant mon manteau, elle me demanda, avec une expression que je ne lui connaissais pas, si elle pouvait m'appeler le lendemain. Je lui dis oui et sortis en réalisant qu'elle était effrayée.

33

Le visage de John Arseneault apparut à l'écran. Affichant un air sombre, il expliquait au journaliste que cet événement était lié à la lutte qu'il menait présentement contre des groupes criminalisés. L'appel anonyme, les explosifs retrouvés à son chalet, tout cela n'était qu'une manœuvre d'intimidation qui n'entamerait pas sa détermination. Je réprimai une envie de fracasser le téléviseur bon marché de ma chambre du *Molly Malone*.

En arrière-plan, on pouvait apercevoir le poste de police de Killarney et le camion de l'unité spéciale de la SQ qui avait été dépêchée sur les lieux. Le journaliste continua le reportage en parlant des difficultés rencontrées par l'équipe des artificiers pour se rendre au chalet d'Arseneault, en raison du verglas qui avait frappé la région. Il conclut en interrogeant un porte-parole de la police, qui expliqua que l'engin désamorcé était rudimentaire mais fonctionnel, qu'on avait déjà une bonne idée de l'origine des explosifs, mais qu'il ne pouvait en dire plus pour l'instant. « Matériel militaire », dis-je tout bas en pensant à ce que j'avais vu au camp des Sénécal.

Tout cela me semblait si irréel ! J'éteignis le téléviseur en me demandant si Catherine avait vu le reportage. Elle allait sans doute me téléphoner, mais j'avais pris la décision de la tenir un peu plus éloignée de cette affaire à laquelle je n'aurais jamais dû la mêler.

34

Un froid glacial me saisit dès que je mis le pied à l'extérieur du *Molly Malone*. Avec le verglas qui était tombé ces derniers jours, Killarney avait littéralement l'air en état d'hibernation. Comme si la petite ville avait revêtu, elle aussi, ses habits de glace. N'en pouvant plus de rester dans ma chambre à attendre, j'avais décidé de me rendre au presbytère. Avec un peu de chance, le père Lemieux s'y trouverait encore.

Je montai dans ma voiture dont le siège, raidi par le froid, ne daigna même pas s'affaisser un peu. Dès que je tournai la clé, je compris que la voiture ne démarrerait pas : les indicateurs du tableau de bord ne s'allumèrent qu'à retardement et le démarreur se limita à émettre un faible grognement avant de sombrer dans le mutisme. Je restai là quelques instants, crispé par le froid : je n'avais pas besoin de ça.

En sortant, je vis apparaître une voiture qui avançait lentement dans ma direction : c'était celle de John Arseneault. J'eus l'impression qu'il m'observait de loin depuis un moment. Arrivé près de moi, il essaya d'abaisser sa vitre, mais elle devait être gelée. Il entrouvrit la portière.

— Un problème ? me demanda-t-il.

— Impossible de démarrer, dis-je en désignant la Volkswagen.

Il me fit signe de monter dans sa voiture en refermant sa portière. J'hésitai une seconde, puis je songeai au caractère inévitable de cette rencontre. Je contournai la Caprice et pris place à l'avant. Mon corps transi accueillit la chaleur avec reconnaissance.

— Un froid pas possible, maugréa Arseneault sans me regarder.

Je ne dis rien.

— J'ai des câbles à l'arrière, ajouta-t-il pendant qu'une radio crachait par saccades des paroles indistinctes.

— Même avec des câbles, je ne sais pas si elle va démarrer, dis-je.

Il y eut un moment de silence.

— Il faut que je trouve ce gars, dit soudainement l'enquêteur en me fixant de ses yeux pâles.

— J'ai écouté les nouvelles. Je vous imaginais terré quelque part.

— Écoute, ça doit rester entre nous, mais j'étais sur le point de coffrer Bérubé, l'homme qui est mort dans l'incendie de son chalet. Ce n'était pas la première fois, d'ailleurs. Pour ton prêtre, j'avais des soupçons, rien de plus.

Je me demandai à quoi il jouait.

— Et pour O'Brien, le pharmacien ?

Pendant un instant, il eut l'air désarçon-né, puis il parut se ressaisir.

— Il était sous enquête également, expli-qua-t-il. Je veux dire : avant de mourir asphyxié dans son chalet.

— La vie de chalet n'est pas de tout repos par ici...

Il grimaça un sourire.

— Je ne sais pas qui t'a raconté quoi, mais tu es dans une sale posture, ajouta-t-il en se tournant vers moi.

— À propos de quoi ?

— Tu le sais. Nous croyons que tu com-muniques d'une façon ou d'une autre avec un gars soupçonné d'avoir commis des meurtres. Et nous croyons que cet appel ano-nyme venait de toi.

Je pensai que cet emploi du « nous » ne devait être qu'un coup de bluff.

— Et pourquoi enquêtiez-vous sur ces hommes ?

— J'avais fondé un camp pour les jeunes ayant des difficultés familiales avec Russell O'Brien. Je lui faisais confiance : il touchait à tout ce qui était bénévolat. Une bonne répu-tation. C'est lui qui est allé chercher le père Lacombe pour l'animation.

Il fit une pause et secoua la tête.

— Je louais la *Maison de la Miséricorde* quelques jours pendant l'été, et les jeunes pouvaient profiter du lac et tout. Moi, je m'occupais surtout de l'administration, comme à la paroisse. D'autres bénévoles donnaient un coup de main avec les jeunes, pour les sports et tout le reste.

— Et ?

— Et j'ai mis fin au projet quand j'ai commencé à avoir des doutes. Ma nièce y était allée et elle m'avait confié des choses. Les hommes qui demandaient à voir des jeunes tard le soir, ce genre de choses. Aujourd'hui, il faut être prudent dans ces cas-là, tu le sais. J'ai retracé certains jeunes, mais ils n'avaient rien remarqué, ou ne voulaient rien dire. Mais le doute est resté, surtout que j'avais vu O'Brien avec Bérubé. Pas un ange, celui-là.

— Et votre nièce ?

— Émilie n'était pas une fille très stable. Elle avait des problèmes. Une fille très émotive, comme sa mère. Elle aurait pu inventer tout ça. Elle avait vu un psy, plus jeune, parce qu'elle faisait des cauchemars. Tu vois le genre. Elle a fini par se suicider.

Il avait dit cela sans manifester le moindre signe d'émotion. J'avais l'impression qu'il avait appris ce laïus par cœur et qu'il le récitait à mon intention. Comme je ne disais rien, il ajouta :

— Je ne te cache pas que je tourne souvent les coins ronds quand je mène une enquête. Pas le choix, sinon on n'arrive à rien. Au fond, si ces hommes ont touché aux enfants, je me fous qu'ils soient morts. Surtout que je me sentais responsable envers les jeunes. On aurait pu classer tout ça. Mais là, j'ai l'impression que notre gars perd les pédales. On dirait qu'il en veut à la population de Killarney au complet. Je ne peux pas laisser faire ça. Même Gisèle Dupuis a reçu des menaces.

— Vous savez qui c'est ?

Il fit signe que oui.

— Et je sais où il devrait se trouver, mais il n'y est plus.

Je pensai à ma carte qui avait disparu.

— Vous le connaissez ? C'était un jeune de votre groupe ?

— Non. Mais ce gars-là a peut-être fait d'autres victimes ailleurs. Ou bien il a reçu des confidences d'un jeune qui serait venu au camp. S'il vise tous ceux qui sont passés là, il va s'en prendre à des innocents.

Je me demandai s'il s'était rendu au camp des Sénécal et, si c'était le cas, s'il avait lu la lettre de sa nièce. Il avait presque réussi à semer un doute en moi. Mais je savais que ces hommes-là pouvaient être de fins manipulateurs et son changement d'attitude était pour le moins radical.

— Vous paraissiez craindre ma présence à Killarney, dis-je.

— Rien de pire que quelqu'un qui se promène partout pour faire fuir le gibier quand tu vas à la chasse. Excuse-moi, je suis un amateur de chasse et pêche. Et en même temps je craignais que les religieux t'aient envoyé pour tenter d'étouffer l'affaire.

— Si quelqu'un témoignait de ce qui s'est passé là-bas, ça pourrait vous faire du tort…

— C'est pour ça que je voudrais parler à ce gars-là. J'ai l'impression qu'il est le seul à connaître le fin mot de l'histoire.

— Je crois qu'il est mort, dis-je.

— Sénéc… commença-t-il avant de s'interrompre brusquement. Il est mort ?

J'acquiesçai.

— Un pacte de suicide, ou quelque chose du genre.

Il me dévisagea un instant et je devinai que ses pensées allaient dans tous les sens. Je remarquai que ses mains avaient laissé des traces de moiteur sur le volant.

— Comment sais-tu ça ? demanda-t-il enfin.

Je ne répondis rien et il n'insista pas. J'avais l'impression de me livrer à une sorte de marchandage. Le chauffage était au maximum et on étouffait dans la voiture.

— Quelqu'un risque de tomber sur un

corps dans les prochains jours, dis-je en ouvrant la portière.

Je sortis de la Chevrolet.

— Alors, il faudrait que je le sache, dit-il en se penchant pour me parler.

— Vous le saurez, c'est certain… remarquai-je en refermant la portière.

Cette fois, j'accueillis le froid avec soulagement et inspirai profondément en regardant s'éloigner cet homme. L'idée me vint que j'allais sûrement me demander toute ma vie si ce coup de fil anonyme était une erreur, quand je réalisai qu'il m'avait laissé en plan avec ma voiture en panne.

35

J'avais laissé la vieille motoneige de Pat O'Sullivan près du sentier et je suivais maintenant en raquettes ce que je croyais être le chemin qu'empruntait Winston Sénécal pour se rendre au camp. Il m'avait fallu du temps pour le trouver et j'avais failli abandonner à cause du froid. Pour ne pas attirer l'attention, le jeune homme avait sans doute volontairement passé par cette zone de denses broussailles où j'avais fini par repérer des traces à demi effacées. Il avait neigé, avant le verglas, le tout ayant formé une croûte qui se brisait sous mes pas avec un bruit sourd. En partant de chez Catherine, la veille, j'étais allé chercher une nouvelle carte. Pour répondre à l'interrogation muette du commis de la petite boutique de Val-du-Sault, j'avais expliqué avoir perdu l'autre en forêt.

Catherine avait reçu la lettre. Je la portais sur moi.

Ce sera une nuit glaciale.
Pas un souffle de vent dans les sapins.
Pas un bruit dans la forêt.
Il y aura des millions d'étoiles.

Mes narines seront scellées.

Comme un soleil, la Lune brillera entre mes cils gelés.

Mais je ne sentirai plus le froid.

Je reverrai ma mère sur cette plage.

Elle laissera glisser du sable entre ses doigts pour faire un dessin sur mon ventre.

Émilie me tendra la main.

Je serai parti avant l'aube.

Et il y avait l'extrait d'un texte qui avait été découpé dans un livre :

« *Suis-je devenu un autre, étranger à moi-même*

Infidèle à mon être ?

Un lutteur qui s'est trop raidi contre soi-même,

Trop longtemps contre lui a tourné sa vigueur,

Blessé et abattu par sa propre victoire ?

Je me suis fait chercheur là où le vent mugit ?

J'ai fixé ma demeure

Dans le séjour de l'ours, où personne n'habite,

Insoucieux de Dieu, des hommes, des prières,

Transformé en fantôme errant sur les glaciers ? »

Cette fois, je n'avais pas mis trop de temps à comprendre : le jeune homme nous fournissait là un indice qui nous conduirait à lui. Fallait-il également y voir autre chose, un doute qui l'aurait assailli au dernier moment ? Je l'ignorais. Mais en utilisant l'ordinateur de Catherine, j'avais rapidement identifié l'extrait sur Internet : il était tiré du poème *Du haut des monts*, placé à la toute fin de l'ouvrage de Nietzsche que Winston avait en sa possession.

Il y avait une colline peuplée de conifères, derrière le camp des Sénécal, et j'étais à peu près certain de le trouver là-haut. Mais, au fond de moi, je continuais à entretenir l'espoir qu'il ne s'agisse là que d'une mystification destinée à détourner notre attention, et par le fait même celle de John Arseneault. Je voulais imaginer Winston Sénécal confortablement assis dans un train qui le mènerait vers une nouvelle vie.

Quant à Arseneault, Catherine ne partageait aucunement mes doutes à son sujet. Elle croyait qu'il ne faisait que tenter de nous berner. Winston avait reçu les confidences d'Émilie, il n'y avait donc pas de doute possible, selon elle. Un homme comme lui ne pouvait ignorer ce qui se passait dans ce camp où il avait emmené sa propre nièce. Pourquoi, alors, Winston ne l'avait-il pas éliminé comme les autres ? Elle y voyait une façon de nous montrer qu'on ne pouvait rester là sans se mouiller, spectateurs passifs de drames que nous déplorions à distance. Elle croyait qu'il voulait nous forcer à aller au fond des choses, à faire éclater la vérité.

Elle devait avoir raison, sauf que je n'étais pas certain de vouloir continuer. Sur le panneau placé à l'entrée de la ville, il y avait cette phrase en gaélique qui nous demandait comment nous allions. Pour ma part, à ma grande surprise, je pouvais dire que j'allais mieux. Comme si, curieusement, les morts de Killarney m'avaient ramené à la vie.

Je mis une bonne demi-heure à atteindre le camp. Il semblait désert et la neige intacte tout autour indiquait que personne n'y avait mis les pieds depuis le verglas. Me tenant exactement à l'endroit où j'avais abouti la première fois, je regardai la colline, derrière le camp. Grimper là-haut ne serait pas une sinécure. Et je ne distinguais aucune trace de pas. Catherine m'avait prêté des jumelles, mais la forêt était trop dense pour que je puisse voir quoi que ce soit de ce côté. Je décidai de jeter un coup d'œil du côté du camp, mais me ravisai : l'endroit était peut-être piégé.

Je descendis vers l'étang pour avoir une autre vue de la colline. Je marchai sur la surface glacée un moment en vérifiant s'il y avait des traces de pas sur les berges couvertes de joncs et d'arbustes. Puis, je remarquai que la colline était beaucoup plus abrupte de ce côté, une partie étant même formée d'une paroi rocheuse trop escarpée pour retenir la neige. Je continuai d'avancer, ce qui me permit de voir d'autres masses rocheuses sur le flanc de la colline. Soudain, je l'aperçus. Assis sur une saillie enneigée, là-haut, le dos appuyé contre un rocher, il paraissait endormi, la tête inclinée vers l'avant. J'hésitai un instant avant de prendre les jumelles.

Lorsque je fis la mise au point sur son visage, livide et glacé, je réalisai soudainement que c'était la première fois que je voyais Winston Sénécal.

36

Dans la pénombre de son bureau, on aurait pu croire que le recteur s'était assoupi. Au contraire, je devinais qu'il soupesait longuement les implications de ce que je venais de lui raconter. Ou qu'il se demandait ce qu'il allait faire de moi car, malgré le risque de perdre mon poste au collège, j'avais décidé de jouer la carte de la franchise et de ne rien lui cacher des événements de Killarney.

— Dieu ait son âme, murmura-t-il enfin.

Je me demandai s'il parlait du père Lacombe ou de Winston. Il soupira bruyamment et saisit sa pipe.

— Et ce policier, ce John Arseneault, que va-t-il faire à votre avis ? demanda-t-il après un moment, alors que l'odeur de son tabac aromatisé envahissait la pièce.

Le policier n'avait pas intérêt à remuer les choses. Ses complices étaient morts, sa nièce également, et il était assez peu probable qu'un lien soit établi entre ces explosifs et Winston Sénécal. Si jamais c'était le cas, impossible alors de relier le jeune homme à ces accidents en apparence accidentels, puis à ce qui s'était passé à la *Maison de la Miséricorde*. Nous n'étions que trois, en excluant peut-être l'ami de Winston, à connaître la vérité sur Arseneault. Sauf que nous n'avions pas vraiment de preuves et peu de moyens pour identifier des victimes à même de témoigner, à supposer qu'il y ait eu d'autres victimes. Je me demandais encore pourquoi Winston avait choisi de laisser le sort de cet homme entre nos mains, alors qu'il aurait été dans l'ordre des choses qu'il soit le premier à mourir.

— J'ignore ce qu'il fera, répondis-je au recteur. Rien, je présume.

— Et vous ?

— Nous en avons déjà trop fait, je suppose, en lui sauvant la peau.

Le recteur se raidit.

— C'était la seule décision à prendre. Il vous fallait agir selon votre conscience. Nous ne sommes pas des…

Il agita sa pipe dans les airs et ne termina pas sa phrase. Je réfléchis au choix que j'avais fait : était-ce en fait de la lâcheté, sous un vernis socialement acceptable, de laisser la justice suivre son cours et tout le reste ? Je me levai et me dirigeai vers la fenêtre.

— À la mort de ma femme, mon père a voulu se jeter sur ce chauffard, au tribunal, alors que je suis resté sans rien faire. J'ai parfois l'impression d'avoir commis la même erreur une seconde fois.

— Sauf que ce n'était pas une erreur, dit le recteur. Il ne nous appartient pas de rendre justice sur Terre. Quant à la justice divine…

On ignore ce qu'il en est, pensai-je.

— Pardonner n'est certes pas facile, continua-t-il. Tendre l'autre joue encore moins ; c'est probablement même contraire à notre nature. Mais celui qui se fait juge et bourreau autorise du même coup l'autre à agir de même. La vengeance n'engendre que la vengeance : l'histoire l'a assez prouvé. Même si tu avais étranglé cet homme, ce chauffard, de tes propres mains, tu n'en aurais rien retiré. Et ton épouse non plus.

Le recteur venait de me tutoyer pour la première fois. Peut-être parce que nous entrions sur un terrain très personnel.

Je pensai à Winston : avait-il éprouvé quelque forme de soulagement à la mort de ces hommes ? Comme s'il avait lu dans mes pensées, le recteur ajouta :

— Je sais que tu éprouves une certaine admiration pour ce jeune homme. Je pourrais le comprendre, mais je ne vois là qu'un terrible gâchis.

— Causé par des hommes comme le père Lacombe, ne pus-je m'empêcher d'ajouter.

Il m'observa en tapotant le tuyau de sa pipe contre ses dents, geste qui chez lui trahissait un certain agacement.

— Tout porte à le croire, oui. Mais ce jeune homme pourrait s'être trompé.

Il s'accrochait toujours à cette idée.

— Sa copine, Émilie, s'était confiée à lui, dis-je. Il ne s'est pas trompé, je peux vous l'assurer.

— Alors, supposons qu'un innocent ait péri dans ces…

Il hésita un instant, sa pipe pointée vers moi.

— Dans ces traquenards insensés !

— Ce n'est pas arrivé, répliquai-je.

— Mais il y a tout de même deux victimes de trop dans cette affaire.

Je compris qu'il faisait allusion à Winston et à Émilie et je dus lui donner raison. Puis, il y eut un long silence. Dehors, le jour achevait de décliner et la pénombre se faisait obscurité. Le recteur déposa sa pipe, alluma sa lampe de travail et me tendit un document. J'y jetai un coup d'œil : c'était mon horaire de cours. Sa façon, peut-être, de m'accorder l'absolution. Ou de me dire que le sujet était définitivement clos.

— Je prierai pour ces enfants, dit-il alors que j'allais prendre congé.

— Mais si, justement, Arseneault faisait

d'autres victimes ? lançai-je presque violemment en me retournant.

— Alors, le mal qu'il répand finira bien
par l'emporter lui aussi, répondit le vieil
homme.

37

Avant de retourner au collège et à ma préparation de cours, j'avais tenu à mettre de l'ordre dans les affaires de Maude. C'était une tâche que j'avais trop souvent remise à plus tard. J'hésitais encore à retirer le signet du roman qu'elle lisait avant de mourir ; c'était un peu comme larguer une dernière amarre.

Le téléphone interrompit mes réflexions. Ce devait être le recteur : il avait toujours un nouveau prétexte pour me rejoindre à toute heure du jour, comme s'il avait résolu de me tenir à l'œil. Je déposai le livre sur la table de chevet et répondis.

C'était Catherine.

— Ta télé est ouverte ? me demanda-t-elle, visiblement sous le coup d'une émotion.

— Non. Qu'est-ce qui…

— Ouvre-la tout de suite. Les nouvelles en continu.

Je passai au salon et fis ce qu'elle demandait.

— J'y suis, dis-je.

— Regarde ça et rappelle-moi, dit-elle avant de raccrocher subitement.

On montrait une maison de briques dont une partie du garage s'était effondrée. Un ruban jaune de la police interdisait l'accès au périmètre, mais le caméraman fit un plan rapproché et on put distinguer les dégâts : le toit à demi affaissé, la porte arrachée et de nombreux débris éparpillés dans la neige. Je haussai le volume. Une journaliste expliquait que pour l'instant les autorités se refusaient à faire un lien entre cette explosion et la bombe découverte au chalet de John Arseneault. Cependant, on confirmait qu'il s'agissait bien de sa résidence et que l'explosion avait fait une victime, sans toutefois préciser son identité. Puis, la journaliste se dirigea vers un voisin, qui expliqua avoir entendu l'explosion et s'être tourné juste à temps pour voir atterrir la porte du garage au beau milieu de la rue. La caméra se déplaça lorsqu'il désigna l'endroit et je pus distinguer, en arrière-plan, la croix de Killarney.

Dès que le reportage prit fin, je rappelai Catherine.

— C'est bien lui ? demandai-je d'emblée.

— Oui. Il est mort, dit-elle. Tout le monde est au courant. J'ai même entendu l'explosion d'ici. Je suis chez mes parents. On dit que c'est arrivé pendant qu'il faisait démarrer son chasse-neige.

Je ne dis rien. Soudainement, l'évidence me frappa.

— Il savait, dis-je tout bas, comme pour moi-même.

— Quoi ? fit Catherine.

— Winston. Il savait que nous allions prévenir Arseneault. La première bombe n'était qu'un leurre.

Il y eut un long silence.

— Il faut que tu viennes à Killarney, dit-elle enfin, tout bas.

Je compris qu'elle n'était plus seule.

— Je suis là dans une heure, dis-je. On se rejoint au *Finnegan's* ?

— Au *Finnegan's*, acquiesça Catherine.

J'allais partir lorsque la télé montra de nouvelles images. En fait, ce devait être le début du même reportage. Un plan très rapproché de l'intérieur du garage me permit de distinguer une partie de la voiture qui s'y trouvait : une Caprice marron. Ma dernière conversation avec John Arseneault me revint en mémoire. Si sa nièce ne s'était pas confiée à Winston Sénécal, j'aurais pu croire en sa version des faits. Sous ses dehors rustres, c'était un homme intelligent. Il avait dû éprouver un sentiment de triomphe lorsque ses confrères avaient descendu le corps du jeune homme de cette falaise.

Mais au fond, c'était de lui que Winston s'était joué et non de nous, qui n'avions finalement été que des acteurs de soutien dans cette mise en scène finale. Était-ce une manière pour Winston de jouer avec sa proie, ou avait-il cherché à nous protéger ? Ou du moins à protéger Catherine car, en nous forçant la main ainsi, je le réalisais maintenant, il nous empêchait de devenir ses complices. S'il avait modifié ses plans, c'était pour faire d'une pierre deux coups : il éliminait Arseneault avec cette deuxième bombe et nous évitait d'éprouver le remords de ne pas être intervenus pour le prévenir.

Je pris mon manteau et sortis. Il avait fait tempête, la veille, et voilà qu'il recommençait à neiger. De nouveau, le ciel avait pris cette teinte orangée qu'on ne voyait qu'en hiver. Les paroles du recteur me revinrent en mémoire alors que je montais dans la Volkswagen. Elles avaient quelque chose de prophétique : le mal engendré par John Arseneault avait fini par l'emporter lui aussi. Le cycle de mort avait pris fin lorsque ce chasse-neige avait explosé.

Il ne faisait pas froid et la voiture démarra sans peine. Je remarquai que le foulard vert de Catherine était toujours sur le siège du passager. Quelques jours auparavant, nous étions allés aux funérailles de Winston ensemble, à Val-du-Sault. Le corps avait été incinéré. On avait installé une photo sur un trépied et j'avais remarqué qu'elle n'était pas très récente : un adolescent que rien ne distinguait, sinon peut-être un regard particulièrement inquisiteur, comme s'il était l'observateur et non le sujet de la photo. L'église était presque déserte. Le père de Winston était là. Je m'étais attendu à voir un officier à la carrure imposante dans son uniforme impeccable, mais c'était un homme un peu voûté et au physique étonnamment frêle qui se tenait à l'avant, accompagné d'un couple âgé. Les grands-parents, sans doute. En plus des curieux habituels, quelques militaires étaient présents et quatre ou cinq jeunes, qui avaient salué Catherine. J'avais cru reconnaître au moins un visage : un garçon du *Cercle de l'Autre Monde*. Il avait fait un curieux signe avec ses doigts en direction de la photographie avant la cérémonie. Je m'étais demandé ce qu'il savait. Pendant que le prêtre débitait des banalités sur un mort dont il ignorait tout, Catherine s'était appuyée contre moi. Sans doute avait-elle pensé, comme moi, à l'oraison qu'aurait méritée Winston Sénécal. Et je m'étais surpris à formuler une prière muette à l'intention de Maude, une prière lui demandant de prendre soin d'Émilie et de Winston.

La neige avait cessé lorsque j'arrivai en face du *Finnegan's*. Je garai la voiture, étrangement serein, et sortis en emportant le foulard de Catherine. J'ignorais si cette rencontre marquait une fin ou un début mais, chose certaine, j'étais heureux d'être de retour à Killarney.

Table des matières

Note sur l'auteur

Luc Martin enseigne le français à Trois-Rivières.

Depuis 2001, ses nouvelles littéraires ont paru dans diverses revues au Québec et en Ontario.

Les Habits de glace est son troisième roman.